BERLITZ®

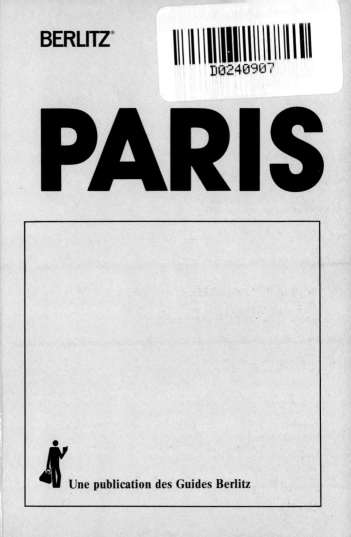

PARIS

Une publication des Guides Berlitz

10ᵉ édition (1988/1989)

Copyright © 1978, 1988 by Berlitz Guides, a division of
Macmillan S.A., Avenue d'Ouchy 61, 1000 Lausanne 6, Switzerland.

Berlitz Trademark Reg. U.S. Patent Office and other countries.
Marca Registrada. Library of Congress Catalog Card No: 78-70369.

Printed in Switzerland by Weber S.A., Bienne.

Comment se servir de ce guide

- Tous les renseignements et conseils utiles avant et pendant votre voyage sont groupés à la fin de ce guide, à partir de la page 100, sous le titre: *Berlitz-Info*. La section des *Informations pratiques* commence à la page 104, mais son sommaire s'inscrit en début de guide, à l'intérieur de la page de couverture.

- Pour mieux appréhender la région, lisez d'abord les chapitres *Paris et les Parisiens* (p. 6) et *Un peu d'histoire* (p. 12).

- La visite des sites commence à la page 22 et se termine page 76. Nous vous en recommandons plus vivement certains en vous les signalant par le petit symbole Berlitz.

- Toutes les distractions sont décrites de la page 76 à la page 93. Pour vous rafraîchir la mémoire au sujet des plaisirs de la table, voyez les pages 93 à 99.

- Un index, enfin (pp. 125–127), vous permettra de repérer immédiatement ce que vous recherchez.

Bien que l'exactitude des informations présentées dans ce guide ait été soigneusement vérifiée, elle n'en est pas moins subordonnée aux fluctuations temporelles. Aussi ne saurions-nous assumer de responsabilité pour des modifications de faits, de prix, d'adresses ou de situations générales, toutes sujettes à variations. Nos guides étant régulièrement remis à jour lors de réimpressions, nous examinons volontiers toutes les remarques que voudront bien nous transmettre nos lecteurs.

Texte: Jack Altman
Adaptation française: Philippe Turin
Photographie: couverture, pp. 4–5, 6, 7, 13, 21, 34, 39, 45, 62, 69, 71, 72, 85 Monique Jacot; pp. 9, 15, 22, 31, 33, 53, 59, 60, 75, 81, 82, 87, 88, 89, 91 Loomis Dean; pp. 10, 36, 43, 47, 49, 54, 57, 65, 66, 79, 92, 97 Erling Mandelmann; p. 19 A. Held; pp. 28, 77 PRISMA.

Nous remercions Anne Jaquier et Pierre-André Dufaux de leur précieuse collaboration, ainsi que l'Office de Tourisme de Paris et l'Office National Français du Tourisme de leur aide.

Cartographie: 🖝 Falk-Verlag, Hambourg.

Sommaire

Paris et les Parisiens

Une confiance en soi illimitée: voilà ce qui caractérise d'abord la ville et ses habitants. Chaque monument ou musée, bistrot ou boutique, chaque gamin des rues, jeune femme élégante, conducteur impatient ou maître d'hôtel affable, chaque marronnier le long des boulevards; tout contribue à faire de Paris une ville formidablement sûre d'elle-même, qui enthousiasmera quiconque est prêt à vivre une aventure exaltante... mais qui risque d'intimider ceux qu'effraient les lumières, le bruit, et le tourbillon de la vie.

Certains y voient de l'arrogance: dans ses monuments hautains, comme dans le pédantisme des pseudo-philosophes de bistrot. Mais, somme toute, quelle ville possède autant de motifs de fierté?

Du Pont-Royal, contemplez au crépuscule les verrières du Grand Palais qui se mirent dans l'embrasement rose et bleu des eaux mouvantes de la Seine. Vous percevrez combien ici, dans la Ville-Lumière, la lumière est différente: elle fait briller d'un éclat particulier la plus banale des places ou des ruelles; elle

Derrière le Forum des Halles, la belle église Saint-Eustache.

met en valeur le blanc de la pierre, résultat de l'éternel combat des nettoyeurs contre la pollution. Si vous n'êtes pas encore convaincu, Paris vous offre l'incomparable illumination nocturne de ses principaux édifices historiques, de ses avenues et de ses places.

Malgré les inévitables bouleversements sociaux, Paris réussit à préserver la plupart de ses mythes. Prenez le jargon de sa topographie: au-delà des lieux, chaque nom

reflète une ambiance et un état d'esprit. Si la ville est divisée, depuis le siècle dernier, en vingt arrondissements administratifs, on n'en continue pas moins de désigner les quartiers par leur ancien nom, plutôt que d'utiliser ces numéros sans âme. Souvent hérités des villages qui jadis entouraient la cité, ces noms sont très significatifs. Ainsi, être né à Belleville ou à Ménilmontant est tout aussi éloquent qu'habiter le faubourg Saint-Germain ou Passy. Rive droite, rive gauche, c'est aussi tout un programme.

La rive droite présente l'image de la respectabilité bourgeoise. Autrefois fief des marchands et du pouvoir royal, elle est encore aujourd'hui le carrefour du commerce et des affaires.

Le faubourg Saint-Honoré évoque le luxe de la haute couture, la place Vendôme celui des bijoutiers et le palais de l'Elysée, l'image du pouvoir; la Bourse symbolise les affaires; quant à l'avenue des Champs-Elysées, elle exhibe ses cinémas, ses agences de publicité et ses compagnies aériennes. A l'ouest, vers le bois de Boulogne, la rive droite devient essentiellement résidentielle. Et du parc Monceau au faubourg Saint-Honoré, les luxueux appartements et les hôtels particuliers abondent. La jeunesse, elle, afflue vers les nouveaux lieux à la mode, autour des Halles et de la Bastille.

De son côté la rive gauche, depuis la fondation des monastères et de l'Université, a toujours reflété la vie intellectuelle et bohème. L'Institut, la Sorbonne, les maisons d'édition et la myriade de librairies continuent d'exercer leur magnétisme intellectuel. Le théâtre «rive-gauche» ne prête-t-il pas son nom à l'avant-garde pour abandonner à la rive droite la comédie «de boulevard»?

Les galeries d'art, point de jonction des affaires et de l'intelligentsia, sont réparties de part et d'autre de la Seine, avec toutefois une nuance: les valeurs sûres préfèrent la rive droite. Les artistes ont élu domicile à la périphérie des rives gauche et droite: à Montparnasse et à Montmartre. Le flot ininterrompu des échanges entre les deux rives se fait par les 32 ponts de la Seine, fleuve parfaitement intégré à la vie de la cité.

Dénicher la bonne affaire: un passe-temps des plus parisiens.

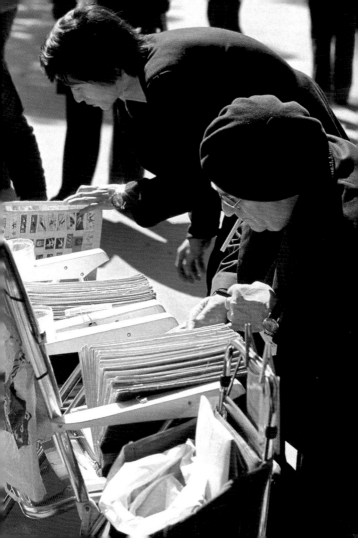

La population parisienne semble constamment en mouvement, à toute heure du jour ou de la nuit. C'est l'inévitable rançon d'une densité parmi les plus fortes du globe. Dans chacun des vingt arrondissements de Paris, logements, bureaux et boutiques – qui se côtoient ou se superposent – sont les rouages d'une animation perpétuelle. Vous deviendrez peut-être un adepte du passe-temps favori des Parisiens: s'installer à une terrasse de café, pour contempler ce spectaculaire remue-ménage! De cet observatoire privilégié, vous pourrez ainsi vérifier l'authenticité d'une des lé-

gendes parisiennes: celle de ses jolies femmes.

Les femmes, à Paris, ne sont pas plus belles qu'ailleurs. Mais ici, elles savent, d'une mèche de cheveux, d'un accessoire négligemment disposé, et surtout par leur maintien, par leur démarche, attirer les regards. Pour convaincre, l'essentiel n'est-il-pas d'être soi-même convaincu?

Pour beaucoup d'étrangers, la France s'arrête aux portes de Paris, et le Français n'est que le Parisien. Erreur! Celui qui se contente d'un séjour à Paris ne peut prétendre connaître la France, ni les Français. Pourtant, on retrouve, curieusement regroupé autour de chacune des six gares qui les a un jour vu arriver, un échantillonnage complet de tous les provinciaux. La géographie gastronomique de la ville en est incontestablement marquée: autour de la gare Montparnasse, vous mangerez sans doute les meilleures crêpes bretonnes, et si l'envie vous vient d'une choucroute alsacienne, dirigez-vous sans hésiter vers la gare de l'Est.

Mais ces «provinciaux», comme tous ceux qui viennent des quatre coins du monde, découvrent aussi une ville en pleine mutation. En cette fin de XXe siècle, Paris vit dans la fièvre de plusieurs grands chantiers architecturaux: construction d'un nouvel opéra à la Bastille, de l'Institut du monde arabe face à l'île Saint-Louis, de la Cité des Sciences et de l'Industrie, à La Villette. Certes, tous les projets ne sont pas achevés, certains se heurtent même à des difficultés politiques ou financières, mais tous apportent la preuve de la constante vitalité de la capitale en matière d'urbanisme et d'architecture.

Curieusement, ces chantiers futuristes n'enlèvent rien au charme de la ville. Il fait bon flâner à Paris: ce qui était vrai hier le reste aujourd'hui, même si les sentiers conduisent parfois à de grandes forteresses modernes, de métal et de verre. Et pour les réfractaires à ce type de progrès, rien n'est plus facile que d'emprunter les ruelles conduisant à l'univers calme et désuet du Marais ou au classicisme de la rue de Varennes. Ici comme ailleurs, ils y rencontreront un Parisien à l'image de sa ville: souvent affecté, voire arrogant, mais surtout plein d'esprit et de charme dans ses relations personnelles, ce qui le rend beaucoup plus accessible qu'on ne pourrait le croire.

Un peu d'histoire

Tout a commencé entre les deux rives du fleuve. Une tribu celte de pêcheurs et de bateliers, les Parisii, s'était installée sur une île qui allait devenir l'île de la Cité. Les eaux tranquilles de la Seine leur assuraient une bonne protection contre les envahisseurs. Elles n'arrêtèrent pas les légions romaines qui entrèrent dans la bourgade en 52 av. J.-C., et lui donnèrent le nom de Lutèce *(Lutetia)*, qui signifie marécage.

A cette époque, la rive droite était trop fangeuse pour permettre la construction; aussi est-ce sur la rive gauche que s'étendit la ville. Il en subsiste les arènes romaines, célèbres pour leurs combats de gladiateurs, ainsi que les thermes (voir p. 72), datant des IIe et IIIe siècles apr. J.-C.

Saint Denis prêcha la religion nouvelle dans Lutèce. Il fut pour cela décapité sur le tertre de Montmartre. Prenant, selon la légende, sa tête dans ses mains, il s'en serait allé jusqu'au site de l'actuelle abbaye de Saint-Denis.

Lutèce étant envahie vers la fin du IIIe siècle par les barbares, en particulier les Huns et les Francs, les habitants se retranchèrent derrière les fortifications de l'île de la Cité. Par ses prières, Geneviève (depuis lors sainte protectrice de Paris) persuada Attila d'épargner la ville (451). Clovis, chef des Francs, arriva en 508 et s'installa au palais de la Cité, à l'emplacement du Palais de Justice actuel, après s'être converti à la religion chrétienne. C'est lui qui fit de la ville la capitale de la France, un rang qu'elle n'abandonnera qu'à de très rares périodes. La population revint alors sur la rive gauche, autour de la nouvelle église Saint-Germain-des-Prés (construite au VIe siècle).

Les temps médiévaux

Paris fut un peu oublié (Charlemagne préféra établir sa cour à Aix-la-Chapelle) jusqu'à Hugues Capet, en 987, qui en fit sa capitale. Sous Louis VI (1108–1137), l'Ile-de-France traverse une «période agricole». Dans la ville même, les champs, entourés de murs, constituaient des «clos», souvent exploités par les riches abbayes.

Mais la grande puissance de Paris provenait des marchands qui contrôlaient le trafic des bateaux sur la Seine, et percevaient péages et impôts. La nef reste le symbole de la

Les gargouilles de Notre-Dame maintiennent le démon à distance.

cité; sa devise, *«Fluctuat nec mergitur»* («Elle flotte mais ne sombre pas»).

La richesse du trésor royal permit à Philippe Auguste (1180–1223) de financer de grands travaux: une forteresse nommée le Louvre, la cathédrale Notre-Dame, des aqueducs, des fontaines, et même des rues pavées, le tout protégé par une puissante muraille entourant la ville. Puis il partit pour la IIIe croisade...

Saint Louis (1226–1270) renforça le rôle spirituel et intellectuel de Paris en édifiant la Sainte-Chapelle et les nombreux collèges de la rive gauche, parmi lesquels celui de Robert de Sorbon (voir p. 52). Avec une population de 100 000 âmes, Paris était alors l'une des premières villes de l'Occident chrétien. **13**

La puissance des marchands se vérifia au XIVe siècle quand la peste et la guerre de Cent Ans dévastèrent la France, laissant Paris à la merci des Anglais. En 1356, le roi Jean le Bon est fait prisonnier à Poitiers; Etienne Marcel, prévôt des marchands, profitant de la situation confuse, constitue un gouvernement municipal insurrectionnel pour défendre la ville. C'est lui qui établit les bases de l'organisation communale et qui installa l'Hôtel de Ville sur la place de Grève. Le roi Charles V, inquiet de cette force grandissante, fit construire la forteresse de la Bastille et agrandit considérablement le Louvre.

Si les troubles du XIVe siècle ne furent guère favorables à la stabilité de Paris, ceux du XVe s'avérèrent littéralement désastreux. En 1407, le duc de Bourgogne fait assassiner le duc d'Orléans: il inaugure douze années de querelles sanglantes entre les Armagnacs et les Bourguignons. L'entrée des Anglais dans Paris, en 1420, met fin au carnage. Jeanne d'Arc tente de les en chasser dix ans plus tard; en vain. C'est à Bourges que doit se réfugier Charles VII, tandis que le jeune roi d'Angleterre, Henri VI, se fait couronner roi de France à Notre-Dame. En 1437 le roi de France retrouve sa ville.

Le Paris des rois
La cité restait malgré tout dynamique. Grâce à Louis XI, qui fait appel à la milice parisienne pour mater les grands féodaux, elle devient la capitale d'un royaume immense. Avec François Ier (1515–1547), le joug de la monarchie absolue n'entrave pas sa prospéri-

té. Rarement présent à Paris, le roi est tantôt en guerre, tantôt à Fontainebleau ou dans ses châteaux de la Loire; mais les arts, la littérature, les sciences fleurissent avec l'air nouveau rapporté d'Italie. Le Louvre, démoli, connaît une seconde jeunesse; un nouvel Hôtel de Ville est bâti, ainsi que la triomphante église Saint-Eustache. Et Ronsard voit déjà dans Paris «la ville où sont infuses la discipline et la gloire des muses».

Les guerres de religion, pourtant, continuent la série des désastres, alors qu'aux Tuileries s'élève le nouveau palais construit par Charles IX. A Paris, les massacres de la Saint-Barthélemy (1572) font à eux seuls plus de 3000 victimes protestantes. En 1589, le siège de la ville insurgée, par Henri de Navarre, fait

La Conciergerie fut autrefois le dernier arrêt avant la guillotine.

mourir de faim 13 000 Parisiens. Mais le prince protestant confirme l'importance de la ville. «Paris vaut bien une messe», dit-il; il se convertit et devient roi de France sous le nom d'Henri IV. La paix est rétablie avec l'Edit de Nantes (1598). Ayant séduit Paris, il s'attache à l'embellir. On lui doit deux des plus gracieuses places de la capitale: la place des Vosges et la place Dauphine. Il ajoute au charme du fleuve les quais de l'Arsenal, de l'Horloge et des Orfèvres, ainsi que la célèbre machine hydraulique de la Samaritaine, chargée d'alimenter en eau les habitants de la rive droite. Achevant le Pont-Neuf (le plus ancien de Paris malgré son nom), Henri IV y adjoint un jardin qui commémore sa réputation de séducteur. Les amoureux continuent d'y célébrer le souvenir du «Vert Galant», assassiné par Ravillac en 1610, rue de la Ferronnerie.

Sous le règne de Louis XIII (1610–1643), Paris commence à prendre l'aspect élégant qui restera son image de marque. On ouvre le Cours-la-Reine, sur l'emplacement des futurs Champs-Elysées, en l'honneur de la reine mère Marie de Médicis, veuve du roi Henri. Au faubourg Saint-Honoré se dressent d'élégantes maisons, et, de la Madeleine à la Bastille, la ligne ombragée des Boulevards inaugure une nouvelle forme d'urbanisme. Sous l'impulsion du tout-puissant Premier ministre, le cardinal de Richelieu, la capitale affermit son rôle centralisateur: la fondation des imprimeries royales et de la manufacture des Gobelins, la création de l'Académie française et du Jardin des Plantes, l'accession de Paris au rang d'archevêché, en sont les exemples les plus marquants. Après l'édification du palais du Luxembourg pour la reine mère, Richelieu ne pouvait faire moins pour lui-même que le splendide Palais-Cardinal (aujourd'hui le Palais-Royal). En 1614, l'ingénieur Christophe Marie réunissait deux îles, formant ainsi l'île Saint-Louis. Avec le développement des quartiers résidentiels du Marais et du faubourg Saint-Germain, Paris devenait d'un attrait irrésistible pour la riche noblesse de province.

Trop même aux yeux de Louis XIV (1643–1715). Témoin, pendant sa minorité, des efforts des seigneurs pour ruiner l'œuvre de Richelieu, il décide de soumettre à son autorité l'aristocratie de la Fronde (1648), trop puissante et trop indépendante. Il fait donc transporter la cour à Versailles, où la vie de palais est ruineuse.

Paris continuait pourtant d'embellir grâce à Perrault, à Le Vau, à Mansart et à Le Nôtre. On leur doit le Jardin des Tuileries, la colonnade du Louvre, les Champs-Elysées, les arcs de triomphe des portes Saint-Antoine, Saint-Denis et Saint-Martin, ainsi que l'Institut, et l'hôpital des Invalides destiné aux soldats des armées royales.

Effrayé par la propension des Parisiens au désordre, le Roi-Soleil institua un système d'éclairage public – les nuits sans lune seulement! La ville comptait alors près de 560 000 habitants, six fois plus qu'au temps de Saint Louis. Déjà, Boileau décrit *Les Embarras de Paris*.

Paris affirme son hégémonie culturelle en Europe; après la création des Académies, on construit des théâtres (la Comédie-Française en 1680, puis l'Odéon). Les cafés littéraires, qui fleurissent aux alentours du Palais-Royal, constituent, avec les Boulevards, un foyer intellectuel européen où se développent les ferments de la Révolution introduits par Voltaire, Diderot et Rousseau.

L'une des dernières grandes réalisations de l'Ancien Régime commença en 1784: le mur des Fermiers généraux, qui entourait la cité, représentait pour les petits commerçants et artisans de Paris tout l'arbitraire de l'administration fiscale; son but était de renforcer le contrôle de l'entrée des marchandises dans la ville, il devint le symbole de l'injustice sociale.

La Révolution et l'Empire

Paris fut le théâtre des grands jours de la Révolution. En 1789, Louis XVI convoque les Etats généraux; la salle du Jeu de Paume voit la scission du Tiers-Etat; la municipalité de Paris s'érige en corps administratif et décide la création d'une milice. Le 14 juillet 1789, la prise de la Bastille marque la fin de l'autorité royale. Le roi est contraint d'arborer la cocarde tricolore, où le bleu et le rouge, couleurs de Paris, encadrent le blanc de la Monarchie. Jusqu'à la Convention (1792) la Commune de Paris exerce une véritable dictature. Louis XVI est guillotiné sur l'échafaud dressé en permanence place Louis XV (rebaptisée plus tard place de la Révolution, puis place de la Concorde). On estime à 20 000 le nombre des victimes **17** de la Terreur, entre 1792 et 1794.

Le premier consul Bonaparte restructure l'Etat autour de Paris dont il ambitionne de faire la capitale de l'Europe. Notre-Dame accueille le sacre du nouvel empereur, en 1804. Celui-ci bataille souvent loin de Paris, mais il emporte toujours dans ses malles les plans des projets qu'il fait pour la ville. On ne lui doit pas que des monuments à la gloire impériale (arcs de triomphe de l'Etoile et du Carrousel, église de la Madeleine, colonne Vendôme), mais aussi des travaux plus réalistes qu'il considérait lui-même comme plus importants: l'approvisionnement en eau potable, la création de marchés, d'abattoirs et d'égouts, la construction de la Bourse, l'ouverture du canal de l'Ourcq. Il restructure la municipalité et crée un corps de police, véritable modèle pour les autres métropoles européennes.

Mais vouloir faire de Paris une capitale vivante et active, à l'avant-garde des idées politiques, sociales et culturelles, ne pouvait que susciter des révoltes. La cohabitation d'une bourgeoisie ambitieuse, d'un prolétariat mécontent et d'intellectuels impatients constituait une sérieuse menace potentielle: les rois Charles X et Louis-Philippe l'apprennent à leurs dépens en 1830 et en 1848. A la même époque, les romans de Victor Hugo et d'Eugène Sue contribuent à établir le mythe du Paris romantique. La «bohème» envahit Montmartre et Montparnasse, qu'elle ne quittera plus.

Une ville toute neuve

Napoléon III, «le petit», n'avait d'autre alternative que de moderniser Paris. Après les expériences de 1830 et de 1848, il voulait prévenir une nouvelle flambée de colère dans une cité à forte population ouvrière. Il chargea donc le préfet de la Seine, le baron Haussmann, d'en finir avec les ruelles propices aux barricades. Le baron rasa tout, installa les occupants dans la banlieue, créant la «ceinture rouge» de Paris qui existe encore. Déjà à l'époque, l'intensité du trafic exigeait plus d'espace. De larges boulevards et avenues furent taillés, donnant à Paris un caractère aéré et lumineux qui met ses édifices en valeur. Et, de

Souvenir de la Belle Epoque, quand Bruant chantait au Chat Noir...

surcroît, comme l'expliquait Haussmann à l'empereur, quel beau champ de tir en cas d'insurrection!... Ce n'est pourtant pas le seul motif de ces chambardements. Paris étouffait dans des structures trop anciennes. L'empereur lui-même était soucieux des conditions d'hygiène et d'habitation du prolétariat parisien. Et malgré l'impopularité d'Haussmann, sa démesure et ses erreurs, il faut lui concéder de nécessaires réalisations.

Vers le XXᵉ siècle

Après la guerre de 1870-71, la IIIᵉ République apporta à Paris une ère de prospérité jamais égalée. Déjà le second Empire avait vu le commencement des travaux de l'Opéra et des gigantesques Halles (aujourd'hui transférées à Rungis, dans la banlieue Sud). Après avoir une nouvelle fois affirmé son indépendance face au pouvoir établi au cours des sanglantes journées de la Commune (1871), Paris se lance à corps perdu dans les constructions. C'était l'époque des expositions internationales qui ont laissé à la ville la Tour Eiffel, le Métro, le Grand et le Petit Palais.

Avec la Belle Epoque, Paris triomphait comme capitale mondiale des Arts et des idées nouvelles. Picasso arrive en 1900, suivi de Modigliani, de Soutine, de Stravinski, d'Apollinaire... Ils se mêlent aux intellectuels français pour créer un univers nouveau.

Passée la guerre de 14–18, durant laquelle Paris est éprouvé par les bombardements, tout repart de plus belle. Les «années folles» font les grandes heures de Montparnasse, où se retrouvent artistes et intellectuels: Hemingway, les surréalistes, Léger, Chagall, Cendrars, Le Corbusier, Cocteau...

La Deuxième Guerre mondiale met fin à la fête. L'occupation (juin 40–août 44) voit le gouvernement déménager à Vichy. Alors que la résistance s'organise au cœur même de Paris, la France libre est exilée à Londres. Après le débarquement de Normandie, les troupes alliées libèrent Paris le 24 août. Les troupes françaises, le général de Gaulle en tête, descendent les Champs-Elysées.

Une nouvelle ère de gloire intellectuelle débutait autour de Saint-Germain-des-Prés, avec les existentialistes et la vogue du jazz dans les caves. Mais Paris devait céder une part de ses prérogatives à d'autres métropoles. La ville affirmait une nouvelle fois son esprit frondeur lors des chaudes nuits de mai 68.

Sous l'impulsion du général de Gaulle, les gouvernements de la Vᵉ République œuvrent à améliorer l'habitat et les communications (voies express et périphériques). Et parallèlement, on nettoie les façades, on rénove le Marais; l'activité culturelle est stimulée par la création du centre Pompidou. Sous la présidence de Valéry Giscard d'Estaing, de grands projets sont lancés.

Ils marquent la volonté de Paris de retrouver son rôle de phare culturel dans le monde.

En 1977, Jacques Chirac, élu premier maire de Paris, s'attelle à en faire un exemple de gestion municipale à la hauteur de son ambition politique.

De son côté, le président François Mitterrand veut im-

Les politiciens de tous bords se retrouvent parfois... en vitrine.

primer sa marque à travers de grands projets architecturaux: l'Opéra-Bastille, la Pyramide du Louvre, l'achèvement du Parc de La Villette et du musée d'Orsay. Grand bénéficiaire de la surenchère des rivalités politiques, Paris retrouve ainsi une partie de son prestige international.

Que voir

La Seine

Pour bien faire connaissance avec Paris, il faut commencer par la Seine. Le mélange de grandeur et d'intimité qui s'en dégage constitue l'essence même de la ville.

Si les traditionnels habitants des berges de la Seine, les clochards, sont peu à peu chassés des quais par une circulation envahissante, les habituels pêcheurs sont toujours là. Mais il suffit de jeter un regard aux eaux glauques et nauséabondes pour comprendre qu'ils n'ont plus d'espoir depuis longtemps. Et malgré tout, la Seine conserve sa poésie.

Depuis le pont Mirabeau, regardez vers l'amont la réplique de la statue de la Liberté

Gravures, revues et livres anciens s'alignent chez les bouquinistes.

Pour s'y retrouver

Prenez, pour vous orienter dans Paris, cinq points de repère. A pied comme en voiture, référez-vous toujours à ces cinq points facilement reconnaissables et visibles de presque partout: l'Arc de Triomphe et le Sacré-Cœur sur la rive droite; la Tour Eiffel et la Tour Maine-Montparnasse sur la rive gauche; Notre-Dame au milieu. Si vous êtes perdu, vous n'aurez pas besoin d'aller bien loin pour apercevoir l'un d'eux à l'horizon.

Et si vous souhaitez visiter Paris sans trop vous fatiguer, empruntez les «coches parisiens» (Inter-Transport, 9, place de la Madeleine, 75000 Paris, tél. 47.42.31.63). En deux heures et demie, ces autocars climatisés vous feront découvrir l'essentiel de la capitale, avec un itinéraire de 24 arrêts «touristiques» (Madeleine, Invalides, Tour Eiffel, Notre-Dame, Montmartre...).

23

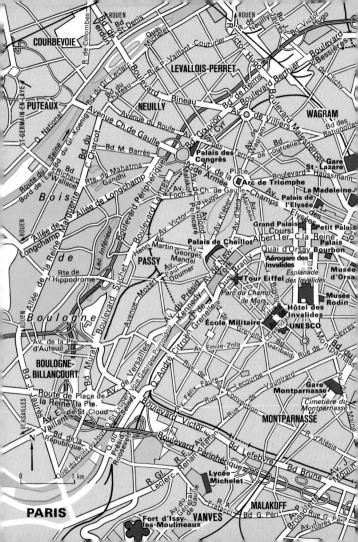

de New York. Sa silhouette se profile devant les quais de la rive gauche et la Tour Eiffel. De pont en pont se déroule un panorama privilégié sur les hauts lieux de Paris. Le Trocadéro, le Palais-Bourbon, le Grand et le Petit Palais, le Louvre, Notre-Dame enfin... Autant de monuments qui, vus d'un bateau, prennent une dimension différente, irréelle. Ceci est encore plus vrai pour les ponts eux-mêmes, dont beaucoup sont d'authentiques monuments marquant l'histoire de la capitale.

Pour cette découverte essentielle, rien ne vaut une **promenade guidée en bateaumouche** (voir ci-contre). Que cela ne vous empêche pas de refaire le trajet à pied, malgré l'invasion automobile, par les voies express sur berges. Les quais les plus propices à la promenade sont situés entre le pont Sully, à la pointe de l'île Saint-Louis, et le pont de la Concorde, ainsi qu'autour des deux îles. Rien n'est plus reposant – l'agitation parisienne rend nécessaires les moments de calme – qu'une heure passée sur un banc des quais, sous les peupliers et les platanes, surtout à l'aube ou au crépuscule, lorsque la lumière de Paris dévoile ses plus beaux roses.

Cinq ponts privilégiés sont dignes de votre attention: le **Pont-Neuf,** terminé en 1607 par Henri IV, le premier à être construit sur la Seine sans surcharge de maisons. Les Parisiens découvrirent le plaisir d'admirer leur fleuve en le traversant. Il devint donc la coqueluche des promeneurs, puis le lieu de prédilection des chanteurs de rue, des bateleurs, des arracheurs de dents, des dames de petite vertu et des voleurs à la tire; et pardessus tout des bouquinistes, avec leurs livres d'occasion et leurs pamphlets, exposés dans des boîtes. Les libraires de la Cité en prirent ombrage et les reléguèrent sur les quais, où ils sont encore.

Le **Pont-Royal,** construit sur les ordres de Louis XIV en 1685, s'ouvre sur le magnifique panorama du Jardin des Tuileries et du Louvre; il offre une jolie vue sur le Grand et le Petit Palais, ainsi que sur l'école des Beaux-Arts et l'Institut qui abrite l'Académie française.

Le pont de la Concorde, enfant de la Révolution, fut construit entre 1787 et 1790; ses fondations utilisent des pierres provenant de la Bastille. Il devait s'appeler à l'origine pont Louis XVI... bien vite changé en pont de la

Sous les ponts de Paris

Depuis le fleuve, loin du vacarme et de l'agitation, les monuments parisiens ont un tout autre visage.

Les **bateaux-mouches** offrent, selon le temps, des sièges en plein air ou des sièges à l'abri. La promenade normale dure 75 min et part du pont de l'Alma, tourne au pont Mirabeau, puis remonte le courant jusqu'au pont Sully, à la pointe de l'île Saint-Louis. Renseignements: 42.25.22.55.

Des **vedettes** effectuent un tour d'une heure. Les vedettes Paris – Tour Eiffel partent du pont d'Iéna et du quai de Montebello (rive gauche), descendent au pont de Bir-Hakeim, puis remontent jusqu'au pont Sully, et retour. Les vedettes du Pont-Neuf partent du pont du même nom, vont jusqu'à la Tour Eiffel puis reviennent. Des croisières «illumination» ont lieu chaque soir du 1er mai au 15 octobre. Renseignements: 46.33.98.38.

La **Patache Eautobus** offre des croisières d'une demi-journée. Elle part du quai Anatole-France le matin, et va jusqu'au parc de La Villette par la Seine et le canal Saint-Martin puis revient l'après-midi. Des croisières d'une journée sur la Seine et la Marne figurent aussi au programme de cette compagnie. Renseignements: 48.74.75.30.

Révolution, un an avant que le roi ne soit envoyé à la guillotine.

Le **pont Alexandre-III,** caractérisé par son unique arche d'acier, est le symbole du triomphe de l'ère industrielle auquel font écho le Grand et le Petit Palais. Il fut inauguré par le tzar Alexandre à l'occasion de l'Exposition universelle de 1900.

Le **pont des Arts,** modeste passerelle qui relie le Louvre à l'Institut (Académie française), constitue à lui seul un résumé de toute la symbolique de la rive droite et de la rive gauche.

Rive droite

Etoile-Concorde-Palais-Royal

Toute visite de la rive droite se doit de partir de la **place de l'Etoile** (rebaptisée place Charles-de-Gaulle). Mieux encore, du sommet de l'**Arc de Triomphe** qui en marque le centre. La vue seule suffirait à justifier l'ascension de l'arc gigantesque (50 m de haut, 45 m de large) à la gloire de Napoléon: une extraordinaire étoile à 12 branches formée des 12 avenues qui rayonnent autour de la place – un tour de **27**

force géométrique – dont on ne peut saisir l'ensemble que d'en haut, car elle est située sur un terrain incliné. Elle fut conçue par l'empereur lui-même, en commémoration des victoires et en hommage aux héros des guerres de la Révolution et de l'Empire; mais l'ensemble fut réalisé par le baron Haussmann.

Napoléon ne connut jamais qu'une maquette de l'arc, grandeur réelle, en bois et en toile peinte. Ce n'est qu'en 1836 que Louis-Philippe inaugura le monument terminé, avec ses bas-reliefs célébrant les victoires militaires de la République. Sur le côté nord-est, vous pourrez admirer la célèbre *Marseillaise* de Rude.

L'arc fut le théâtre des funérailles de grands hommes d'Etat, de grands soldats et hommes de lettres célèbres; mais les plus grandioses furent celles de Victor Hugo, en 1885. En 1920, on enterra sous l'arche la dépouille du Soldat inconnu, en souvenir des morts de la grande guerre et, trois ans plus tard, on y alluma la flamme éternelle.

Il est l'heure de la pause café à cette terrasse des Champs-Elysées. **29**

L'avenue Foch, l'une des branches de l'étoile, est la plus majestueuse des artères résidentielles de la capitale, et aussi l'une des plus heureuses réalisations du baron Haussmann.

De nos jours, les **Champs-Elysées** sont surtout le théâtre d'une intense activité commerciale, et pourtant ils méritent toujours l'appellation de plus célèbre avenue du monde. Ils relient l'Arc de Triomphe à la place de la Concorde, dans une perspective parfaite, rehaussée par l'alignement des marronniers sur toute sa longueur. Le tiers supérieur, en partant de l'Etoile, est réservé aux cinémas, aux boutiques et aux terrasses de cafés. Passé le rond-point, on traverse, jusqu'à la Concorde, les agréables jardins des Champs-Elysées.

La **place de la Concorde** a bien du mérite à porter un tel nom: plus d'un millier de personnes y ont été guillotinées pendant la Terreur (parmi lesquelles Louis XVI), au son des roulements de tambours chargé de couvrir les cris des condamnés. En 1934, une émeute y fut réprimée dans le sang; dix ans plus tard, elle fut le dernier bastion allemand lors de la Libération de Paris. Aujourd'hui, les fontaines illuminées et les réverbères élégants en font, la nuit, un lieu enchanté; le jour, c'est une aventure, autant pour les piétons qui voudraient jouir d'un instant de repos pour admirer les perspectives, que pour les automobilistes qui se fraient un chemin pour tenter d'arriver à leur but.

Dressé au centre, le doyen des monuments parisiens: l'Obélisque. En granit rose, haut de 23 m, il provient de Louxor et date du XIIIe siècle av. J.-C. Napoléon ne l'a pas volé lors de la campagne d'Egypte; c'est un cadeau du vice-roi Mohammed Ali, érigé ici avec bien des difficultés en 1836.

Après l'agitation des Champs-Elysées et de la Concorde, vous apprécierez la tranquillité du **Jardin des Tuileries.** Son nom, qui était aussi celui du palais qui s'y dressait, provient d'une fabrique de tuiles installée à cet endroit au XIIIe siècle. Les enfants adoreront le bassin circulaire où l'on peut faire naviguer des bateaux et, à la belle saison, les spectacles de marionnettes.

L'émotion de votre vie: traverser, à pied, la place de la Concorde.

Le jardin se termine avec l'**Arc de Triomphe du Carrousel,** à peu près contemporain de celui de l'Etoile, mais nettement plus petit. De là, vous pourrez vérifier l'alignement de l'Obélisque avec l'Arc de l'Etoile, et la Grande Arche de la Défense, un cube en marbre de Carrare de 105 m de haut, qui ferme la plus grande perspective du monde.

Insensiblement, le Jardin des Tuileries pénètre au cœur du **Louvre,** demeure des rois de France. Outre le musée du Louvre (p. 65), il abrite le ministère des Finances et le musée des Arts décoratifs (p. 70).

Le U des bâtiments était jadis fermé par le palais des Tuileries dont les deux extrémités, les pavillons de Flore et de Marsan ont été reconstruits après l'incendie du palais, en 1871. Le pavillon de Marsan (côté nord) se prolonge par l'aile Ier Empire; le pavillon de Flore (côté sud) par celle due à Henri IV. Depuis la place du Carrousel passez l'étroit passage voûté en direction de la Seine. Vous longerez alors, à gauche, la majestueuse façade classique de Perrault. Face aux jardins de l'Infante s'ouvre le pont des Arts, passerelle qui rejoint, sur l'autre rive, l'Institut

(voir p. 58). En continuant le long du quai, vous arriverez sur la place du Louvre, où l'église Saint-Germain-l'Auxerrois (admirez son étonnant porche du XIIIe siècle) fait face à la célèbre colonnade due également à Perrault. Les fossés mettent en valeur la grandeur de l'ensemble. Par le pont, on accède à la cour Carrée. Elle occupe à peu près la surface de la forteresse de Charles V, le Vieux Louvre, qui défendait la cité

J. KLEIN, LAUSANNE

des assaillants venant par le fleuve. Le côté sud de la cour, d'époque François Ier, est dû à Pierre Lescaut et au sculpteur Jean Goujon. Au-delà du pavillon de l'Horloge, on rejoint la place du Carrousel, entourée de bâtiments du second Empire.

Laissez de côté le musée (voir p. 65) pour une visite

Les abords paisibles du Palais-Royal rappellent une époque révolue.

séparée et prenez la rue de Rivoli en direction de la Comédie-Française et du **Palais-Royal,** terminé en 1639 pour le cardinal de Richelieu. Peu d'endroits sont aussi propices à un voyage dans le passé que ces jardins plantés de tilleuls et de hêtres. Le palais a toujours été un lieu coloré, à l'animation plus ou moins respectable. Pendant la minorité de Louis XV, le régent Philippe d'Orléans en fit le théâtre d'orgies notoires.

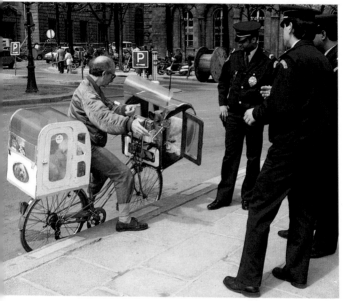

La prodigalité de cette famille l'obligea à transformer le rez-de-chaussée en boutiques, afin de pouvoir payer ses dettes.

Il s'y installa aussi des cafés qui devinrent le rendez-vous de la société à la mode. Mais à Paris, grand monde et demi-monde se sont toujours mutuellement attirés, et le Palais-Royal draina bientôt la faune des charlatans, des voleurs et des prostituées du Pont-Neuf, de même que les artistes et les intellectuels. Parmi les grands esprits de l'époque, Voltaire en était un des fervents habitués.

Dans les environs, les anciennes Halles ont fait place au **Forum des Halles,** un complexe de galeries marchandes situé à deux pas de Beaubourg (voir p. 68), au cœur d'un quartier très vivant.

Tout près, admirez aussi les vitraux, réalisés dans la tradition médiévale, de la belle église **Saint-Eustache** (XVIe et XVIIIe siècles).

Place Vendôme–
Opéra–Madeleine

Il existe peu de lieux aussi élégants que la **place Vendôme,** gracieuse, aérée, conçue par Jules Hardouin-Mansart pour servir d'écrin à la statue équestre de Louis XIV. Dix-neuf banques, les plus célèbres bijoutiers, l'hôtel Ritz et le ministère de la Justice se partagent l'honneur du lieu. Mais le Roi-Soleil a cédé sa place à la colonne Vendôme, dont les torsades de bronze pro-viennent de la fonte des 1250 canons pris à Austerlitz. Les bas-reliefs qui ornent la co-lonne relatent les grandes ba-tailles de l'empereur.

Quelques pas dans la rue de la Paix et vous découvrirez les vitrines des grands bijoutiers, joailliers et fourreurs.

La massive et prétentieuse silhouette de l'**Opéra** est à l'image du second Empire. Napoléon III, au faîte de la puissance, en confia la cons-truction à Garnier en 1862.

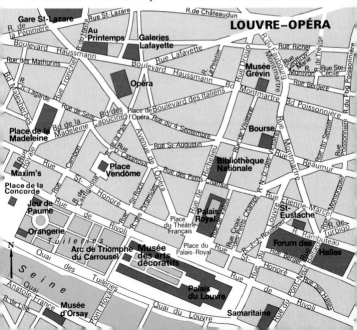

Depuis l'Opéra s'ouvrent les **Grands Boulevards** en direction de la Madeleine. Sans doute ont-ils un peu perdu du brillant de leurs beaux jours, au tournant du siècle. Marchez sur les traces de Renoir, Manet et Pissaro jusqu'au n° 35 du boulevard des Capucines, chez le photographe Nadar, où ils se rendirent pour la première exposition de peinture impressionniste, en 1874. Et c'est tout près, à l'hôtel Scribe, que les frères Lumière organisèrent la première représentation publique de cinématographe, en 1895.

La **Madeleine** est une église: cela étonne bien des touristes. Pourtant, à l'origine, le bâtiment avait bien cette vocation, mais la construction entreprise par Louis XV, en 1764, fut interrompue par la Révolution. Napoléon décida

A Montmartre, un artiste doit aussi avoir la bosse du commerce.

de la terminer, en styles «grec» à l'extérieur et «romain» à l'intérieur, pour en faire un siège de la Bourse ou de la Banque de France, un théâtre ou une salle de réception officielle... A la Restauration, Louis XVIII se décida pour une église. Curieuse église au plan rectangulaire, sans transept, ni abside ni clocher.

Depuis la Madeleine, vous avez le choix: retourner vers la place de la Concorde par la rue Royale, en passant devant chez Maxim's, ou bien prendre à droite la **rue du Faubourg-Saint-Honoré,** première rue commerçante de Paris, avec un arrêt devant les grilles du palais présidentiel de l'Elysée au n° 55, mais l'accès en est interdit.

Montmartre

Peu de quartiers ont contribué autant que Montmartre à la mythologie de Paris. Traditionnel repère des artistes et de la bohème joyeuse, la «butte», comme on l'appelle familièrement, est aussi l'une des sources spirituelles de la cité. Paganisme et christianisme se retrouvent d'ailleurs dans l'éthymologie de son nom. On a voulu voir dans Montmartre une altération de *mons martyrium,* le mont du Martyre, par référence à l'épisode de la décollation de saint Denis; mais les érudits penchent pour la thèse païenne du *mons mercuris,* le mont de Mercure, site d'un temple dédié au dieu romain.

Une promenade autour de Montmartre vous aidera peut-être à trancher. Fidèles à la topographie du village qui se perchait ici il y a quatre siècles, les rues de la butte ne sont pas du tout adaptées à la circulation automobile. Prenez donc le métro et descendez à la station Abbesses (ligne 12) et non à Pigalle malgré l'attrait du nom: de jour vous seriez déçu. Revenez le soir si vous avez décidé de vous encanailler (voir p. 89).

Si l'ascension vous est pénible, descendez à la station de métro Anvers et empruntez le funiculaire jusqu'au Sacré-Cœur. Vous suivrez alors notre itinéraire à l'envers.

Depuis la place des Abbesses, prenez la rue Ravignan jusqu'au n° 13 de la place Emile Goudeau. Si l'art moderne est né quelque part, c'est bien au Bateau-Lavoir, sous ces insignifiantes verrières. Ici, Picasso, Braque et Juan Gris «inventaient» le cubisme, alors que Modigliani travaillait obscurément dans son coin et qu'Apollinaire élaborait les bases de la poésie 37

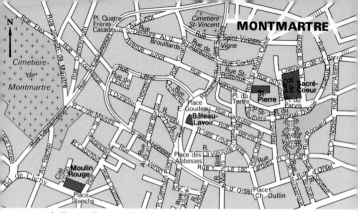

surréaliste. Cet atelier brûla en 1970.

Pour continuer cette célébration des grands esprits du passé, marchez parmi les ombres de Renoir, de Van Gogh, de Gauguin et d'Utrillo en suivant la rue Cortot, la rue de l'Abreuvoir, la rue Saint-Rustique (où le restaurant «A la Bonne Franquette» servit de modèle à Van Gogh pour *La Guinguette*).

Arrivé **place du Tertre,** vous passerez sans transition du sublime au grotesque: si certains peintres installés ici sont peut-être des artistes, la plupart ne sont que de vulgaires barbouilleurs... Vous êtes au centre du village de Montmartre, la place publique où étaient annoncés les mariages, enrôlés les conscrits, pendus les criminels. Poussez jusqu'à

la rue Saint-Vincent, site de l'unique vigne de Paris, le Clos de Montmartre, au coin de la rue des Saules. Son vin a la réputation de vous faire «sauter comme un cabri».

A l'autre bout de la rue Saint-Vincent, on débouche derrière la basilique du **Sacré-Cœur.** Cette étrange église romano-byzantine jouit d'une douteuse réputation auprès des Parisiens. Les esthètes détestent en général son extérieur surchargé et son intérieur aux extravagantes mosaïques, ou alors ils se contentent d'en rire; la population des alentours le ressent encore comme un symbole de pénitence après l'insurrection de la Commune de 1871 et la défaite contre les armées prussiennes.

Le Sacré-Cœur doit sa miraculeuse blancheur à une variété de pierre de Château-Landon qui blanchit et durcit avec l'âge. L'attrait majeur de l'édifice tient, pour beaucoup, à la vue qui s'étend du clocher dans un rayon de 50 km par temps clair; le seul panorama de Paris qui ne soit pas gâché par la silhouette du Sacré-Cœur, affirment les mauvaises langues!

Le Sacré-Cœur attire toujours les foules au sommet de Montmartre.

Saint-Pierre-de-Montmartre, au pied de la colline, est l'une des plus vieilles églises de Paris. Consacrée en 1147, seize ans avant Saint-Germain-des-Prés, elle constitue un bel exemple de gothique précoce, démenti par la façade du XVIIIe siècle. Paul Abadie, l'architecte du Sacré-Cœur, voulait démolir Saint-Pierre; il en fut empêché par un groupe d'artistes qui obtint même sa restauration, «digne riposte au Sacré-Cœur». Si la

visite vous a fatigué, ne craignez pas d'aller vous promener dans le **cimetière de Montmartre.** En bordure de la rue Caulaincourt, c'est un havre de tranquillité, souvent délaissé au profit du plus illustre cimetière du Père-Lachaise (voir p. 42). Vous y verrez les tombes de Degas, de Berlioz, d'Offenbach et de Stendhal.

Le Marais

Le quartier du Marais, sur la rive droite, face aux deux îles, a héroïquement résisté tout au long des siècles, à l'assaut des promoteurs, pour nous laisser un souvenir authentique de l'époque comprise entre le règne d'Henri IV et la Révolution. Il fut bâti, comme son nom l'indique, sur un marécage, et recèle de superbes hôtels Renaissance reconvertis en musées ou en bibliothèques.

Commencez votre visite par la **rue des Francs-Bourgeois** (les bourgeois qui vivaient ici en 1334 étaient exempts de taxes). Au n° 60, l'**Hôtel de Soubise,** magnifique demeure du XVIIIe siècle, abrite le musée de l'Histoire de France, qui regroupe les archives nationales. La belle cour d'honneur en fer-à-cheval mène à un univers délicieusement rococo: les appartements du prince et de la princesse de Soubise sont un sommet du décor Louis XV.

L'hôtel communique avec son jumeau, l'**Hôtel de Rohan** sis rue Vieille-du-Temple. Ne négligez pas d'admirer une splendide sculpture due à Robert le Lorrain: *les Chevaux d'Apollon,* qui surmontent les anciennes écuries, dans la deuxième cour. A quelques pas de là, rue de Thorigny, l'Hôtel Salé héberge le **musée Picasso** (voir p. 71).

La rue des Francs-Bourgeois s'orne de deux autres joyaux: l'**Hôtel Lamoignon,** à l'angle de la rue Pavée, et l'**Hôtel Carnavalet,** demeure de l'illustre Madame de Sévigné, aujourd'hui Musée historique de la Ville de Paris (voir p. 73). Elle finit en apothéose à la **place des Vosges,** l'une des merveilles de la capitale, selon certains. Une chose est sûre: vous ne serez pas insensible à l'harmonie classique des lieux, ni aux multiples détails qui ornent fenêtres, pignons et arcades des façades de brique à coins de pierre. Quand Henri IV fit édifier la place en 1605, sur l'emplacement d'un marché aux chevaux, elle était composée de 36 pavillons contigus de 4 arcades chacun; soit, 9 pavillons par côté. Puis chacun d'eux s'est étendu ou restreint au gré de ses propriétaires. Pourtant, la place des Vosges demeure l'un des ensembles résidentiels les plus harmonieux de Paris. Même si de nombreuses façades sont maintenant recouvertes d'un crépis imitant la brique, l'effet reste enchanteur. Au centre de la place, le jardin est aujourd'hui le paradis des enfants. Il était autrefois le rendez-vous favori des duellistes. Après les festivités des noces de Louis XIII, il devint le lieu de promenade le plus élégant de la ville.

Cet endroit s'appelait alors place Royale. Son nom actuel lui a été donné en l'honneur du département des Vosges, qui, le premier, paya ses impôts au gouvernement révolutionnaire.

Si vous êtes un admirateur de Victor Hugo, arrêtez-vous au n° 6. Le **musée** qui porte son nom rassemble, dans l'appartement qu'il occupa, des manuscrits, des souvenirs, et 350 dessins du poète.

En poursuivant votre itinéraire vers l'est, vous arrivez place de la Bastille. La forteresse n'y est plus, bien sûr. Mais si vous affrontez le flot de la circulation, vous découvrirez, inscrits sur le pavé, les contours de ses murailles. La

colonne de Juillet, qui marque le centre de la place, commémore l'insurrection de 1830. Vous pouvez compléter votre visite du Marais par une promenade dans le **quartier juif.** Parcourez la rue des Rosiers, habitée depuis 1230 par des familles israélites; ou la rue Ferdinand Duval, qui portait, avant 1900, le nom de rue des Juifs.

En redescendant vers le quai des Célestins, d'où la vue embrasse l'île Saint-Louis, on découvre l'**Hôtel de Sens;** c'est la plus prestigieuse demeure médiévale encore sur pied à Paris. Par le quai, vers l'ouest, on débouche sur la place de l'Hôtel-de-Ville, à l'emplacement de l'ancienne place de Grève. Sur la *grève,* c'est-à-dire sur la plage, se retrouvaient les ouvriers en quête de travail; d'où l'expression «faire la grève»... Le bâtiment actuel, entièrement reconstruit à la fin du siècle dernier, abrite toujours les bureaux du maire de Paris.

Le cimetière du Père-Lachaise

Fondée en 1804, cette immense Cité des Morts compte une population estimée à 1 350 000 corps inhumés. Elle doit son nom à un jésuite, confesseur de Louis XIV et propriétaire des lieux. Les héros des différentes révolutions y sont enterrés. Le 28 mai 1871, le cimetière servit même de champ de bataille aux derniers opposants communards; le mur des Fédérés marque l'emplacement où ils furent fusillés.

Parmi les célébrités des arts et des lettres, vous retrouverez

Colette et Musset, Rossini (au n° 4), Chopin (11), le philosophe Auguste Comte (17), Ingres, Corot et Daumier (24), La Fontaine et Molière (25), Sarah Bernhardt (44), Balzac (48), Delacroix (49), Bizet (68), Proust (85) et Apollinaire (86). C'est sans doute le seul endroit où les grands noms de la politique se côtoient au mépris des querelles d'opinion. Napoléon octroya un secteur aux juifs; un espace est aussi réservé aux musulmans.

Henri IV a fait de la place des Vosges un lieu où il fait bon vivre.

Les îles

L'île de la Cité

On dirait un navire dont le square du Vert-Galant serait la proue. C'est le berceau de Paris où vivaient à l'origine les bateliers et les pêcheurs de Lutèce. Il reste malheureusement bien peu de chose de la Cité médiévale. Le baron Haussmann tailla largement dans les quartiers les plus vétustes, n'épargnant que Notre-Dame, la Sainte-Chapelle, la place Dauphine et la rue Chanoinesse (ancienne résidence des chanoines de Notre-Dame), témoins de l'opulence de l'île.

Le baron avait même songé à remplacer le fort gracieux triangle de pignons et d'arcades de brique de la **place Dauphine** par une colonnade à la manière hellénique. Pour notre bonheur, il fut disgracié – pour avoir un peu trop joué avec sa comptabilité – avant d'avoir livré la place aux naufrageurs. Fermée sur le Pont-Neuf, la place est un ensemble réalisé en 1607 sur l'ordre d'Henri IV en l'honneur du Dauphin, le futur Louis XIII. Hélas! Seules subsistent dans leur état d'origine les maisons des n°s 14 et 26, depuis les «améliorations» apportées au XIIIe siècle par les autres propriétaires.

Le massif **Palais de Justice** est un vaste complexe de bâtiments qui abrite les services centralisés de l'appareil judiciaire actuel. C'était la résidence des rois de France jusqu'à Charles V et, plus tard, les aristocrates et les chefs révolutionnaires et furent emprisonnés en attendant l'échafaud. Il cache un chef-d'œuvre de style gothique, la **Sainte-Chapelle,** édifiée en 1248 par le pieux roi Saint Louis pour abriter les reliques cédées par l'empereur de Constantinople. Les proportions parfaites du sanctuaire, sa flèche de 75 m et ses verrières admirables expliquent l'atmosphère irréelle des lieux, en total contraste avec la lourdeur du palais. Le bâtiment est divisé en deux parties: la chapelle basse, destinée aux chapelains, chanoines et autres prélats; la chapelle haute, réservée au roi et à sa suite.

Dans ce joyau de l'art gothique, on ne sait ce qu'il faut admirer le plus: la hardiesse de l'architecture ou les vitraux, parmi les plus beaux du monde. Les 15 **verrières** du XIIIe siècle relatent surtout des épisodes de l'Ancien Testament. Sur les 1134 scènes qui

Certaines bouches de métro sont des chefs-d'œuvre de l'art nouveau.

les constituent, 720 sont d'origine. Entre 1789 et 1815, la Sainte-Chapelle subit bien des vicissitudes. Pendant la Révolution elle servit d'entrepôt à farine, durant le Directoire, de club pour les dandies, et, pendant le Consulat, de local d'archives! C'est cette dernière fonction qui sauva l'édifice de la démolition: on ne savait pas où déménager la montagne de papiers.

Aujourd'hui, les paperasses sont reléguées au fond des interminables couloirs du palais. La grande salle des Pas-Perdus mérite une visite, si l'on veut observer magistrats, plaignants, journalistes et avocats en robe qui attendent avec nervosité que la machine judiciaire se mette en marche.

Les accusés, quant à eux, ne connaissent pas leur bonheur! Qu'ils songent seulement à ceux qui se morfondaient dans les cachots tout proches de la **Conciergerie** (accès par le quai de l'Horloge). Le Concierge, qui avait la responsabilité des prisonniers, n'était autre que le gouverneur de la Maison du Roi. Durant l'Ancien Régime, la Conciergerie enfermait derrière ses murs les prisonniers **45** d'Etat. Dans la galerie des Prisonniers, Marie-Antoinette, Robespierre, Saint-Just et Danton attendirent l'application du jugement du Tribunal révolutionnaire. Dans la salle des Girondins sont exposés un couperet de guillotine, la serrure de la cellule de Robespierre et le crucifix de Marie-Antoinette. Jetez un coup d'œil dans la cour des Femmes, où maris, amants, épouses ou maîtresses avaient droit à un ultime rendez-vous avant l'arrivée des charrettes. On estime à 2500 le nombre des pensionnaires de la Conciergerie victimes de la guillotine.

La place Louis Lépine (à la sortie de la station de métro Cité) est occupée par un pittoresque marché aux fleurs, complété le dimanche par le marché aux oiseaux.

Le site de **Notre-Dame de Paris** est sacré depuis plus de deux millénaires. A l'époque gallo-romaine un temple en l'honneur de Jupiter y était élevé. La première église chrétienne, dédiée à saint Etienne, fut bâtie ici au IVe siècle. Elle fut complétée, 200 ans plus tard, par une deuxième église consacrée à Notre-Dame. Le pillage de la Cité par les Normands laissa les deux édifices en piteux état, et l'évêque de Paris, Maurice de Sully, entreprit en 1163 la construction d'une cathédrale pour les remplacer. Le mélange des styles – roman et gothique – constitue, selon certains, une parfaite synthèse de l'architecture médiévale. Saint Bernard n'était pas de cet avis; il trouvait qu'un édifice si somptueux était une insulte à la vertu chrétienne de pauvreté.

Notre-Dame n'en reste pas moins un impressionnant monument, qui fut le témoin de grands événements nationaux: en 1239, la marche de Saint Louis, pieds nus, portant la couronne d'épines depuis la Sainte-Chapelle; en 1430, l'humiliant couronnement d'Henri VI d'Angleterre comme roi de France; en 1594, la messe qui marque la conversion d'Henri IV au catholicisme et son accession au trône de France; en 1804, c'est le sacre de Napoléon Ier par lui-même, sous les yeux du pape Pie VII; et plus récemment, les funérailles de Foch, de Joffre, de Leclerc et de de Gaulle.

La **grande rose,** avec en son cœur la Vierge, représente les

A Paris, on se déplace parfois plus facilement à vélo qu'en voiture.

prophètes, les vertus et les vices, les signes du zodiaque et les travaux des mois. Au-dessus des trois portails, la **galerie des Rois** figure les 28 rois d'Israël et de Juda. En 1793, les révolutionnaires les prirent pour les rois de France et les abattirent. Des copies les remplacèrent au XIXe siècle.

A l'intérieur, l'exceptionnelle luminosité provient, en grande partie, des deux rosaces du transept. En entrant dans le chœur, à droite, ne manquez pas la très belle **Vierge à l'Enfant,** du XIVe siècle.

Le seul nom d'architecte qui nous soit parvenu est celui de Pierre de Montreuil, renommé au XIIIe siècle. La structure actuelle, avec ses tours majestueuses, sa flèche et ses arcs-boutants est due à Viollet-le-Duc, qui entreprit de louables efforts de restauration de 1845 à 1863, mais ne put s'empêcher d'y mettre son grain de sel. Il faut dire que l'édifice, dans un triste état, avait été ravagé davantage encore par les restaurateurs maladroits du XVIIIe siècle

que par les révolutionnaires anticléricaux. C'est le roman de Victor Hugo, *Notre-Dame de Paris,* paru en 1831, qui sensibilisa l'opinion et amorça la rénovation du «sanctuaire national». Le baron Haussmann dégagea le parvis, souvenir des temps médiévaux où il servait aux exécutions pu-

Les amoureux de Paris vous diront que Notre-Dame n'est jamais si admirable que vue par le chevet.

bliques et à l'exposition des malandrins aux quolibets de la populace.

Les cloches d'origine ont disparu, à l'exception du bourdon, qui date de 1400, placé dans la tour sud. La pureté renommée de son timbre remonte à 1680, lorsqu'on décida de refondre le bronze initial en y adjoignant les bijoux d'or et d'argent offerts par la cour de Louis XIV.

A l'extérieur, contournez la cathédrale par le sud, vous pourrez admirer le portail Saint-Etienne et, depuis les jardins, le chevet de Notre-Dame.

L'île Saint-Louis

Au-delà du pont Saint-Louis commence un monde à part, à la vie autonome et douce, domaine enchanté de l'élite raffinée de Paris: l'île Saint-Louis. Le président Pompidou habitait le quai de Béthune, abandonnant chaque fois qu'il le pouvait le palais de l'Elysée.

A l'angle de la rue Saint-Louis-en-l'Ile se dresse le magnifique **Hôtel Lambert,** du XVIIe siècle (entrée au n° 2). Le bâtiment, qui date de 1640, fut construit selon les plans de l'architecte Le Vau. Voltaire y vécut une orageuse aventure avec la maîtresse des lieux, la marquise du Châtelet. En harmonie avec l'ambiance générale, l'église **Saint-Louis-en-l'Ile** rivalise d'élégance avec les grandes demeures qui l'entourent. Sa lumière met en valeur un véritable petit musée d'art hollandais, flamand et italien des XVe et XVIe siècles, et quelques splendides tapisseries du XIIe siècle.

Au 17, quai d'Anjou, l'**Hôtel Lauzun** est la demeure la plus marquante de l'île. Il a été construit par Le Vau (à qui l'on doit aussi la façade du Louvre côté Seine et, surtout, une grande partie de Versailles). Son opulente ornementation fut plus tard le cadre tout trouvé du club des Haschishins, fréquenté par Baudelaire et Théophile Gautier. C'est là que l'auteur des *Fleurs du Mal* fit l'expérience des «paradis artificiels».

Mais les promenades le long du quai d'Orléans ombragé de peupliers, restent le plus grand attrait de l'île. On y jouit d'une **vue** incomparable sur le chevet de Notre-Dame, que les incorrigibles romantiques s'obstinent d'ailleurs à préférer à la façade.

Rive gauche

Le Quartier latin

Pour avoir une idée générale de ce qu'est la rive gauche, il faut commencer par le Quartier latin.

Ici, en face de Notre-Dame, la soif de savoir a toujours tourné en contestation et en révolte, avant de virer au scepticisme perpétuel, lorsque les contestataires émigrent, diplôme en poche, vers les abords plus sages du faubourg Saint-Germain. Tout a commencé au XIIIe siècle, après que la première université eut déménagé des cloîtres de la Cité à la rive gauche: la jeunesse vint désormais au «quartier» étudier le latin.

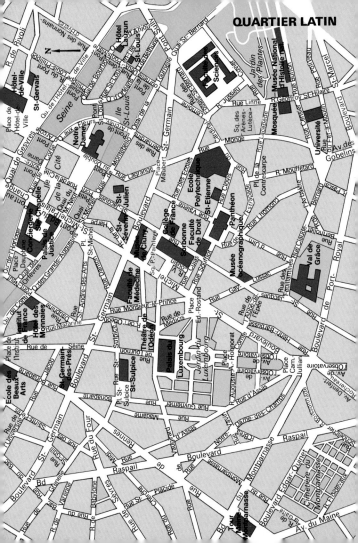

QUARTIER LATIN

En attendant la prochaine «manif», ça ne coûte rien de prendre le soleil.

Il ne faut pas se méprendre sur le mot «université»; à l'époque, il ne définissait qu'un vague rassemblement de quelques *escholiers* au coin d'une rue ou dans une cour, écoutant le discours d'un *clerc* juché sur un banc ou perché sur un balcon. Aujourd'hui, si les «amphis» sont bondés, la tradition du discours se perpétue autour d'un café ou d'un ballon de rouge, aux terrasses du Boul'Mich; ou en faisant la queue au cinéma.

Partez de la **place Saint-Michel,** où les étudiants viennent s'approvisionner en fournitures scolaires et en livres, et où la jeunesse du monde entier se donne rendez-vous au pied de la pompeuse fontaine érigée en 1860 par Davioud. Plongez vers les ruelles du quartier Saint-Séverin: rue de la Huchette, de la Harpe, de la Parcheminerie, rue Galande. C'est un univers au cadre médiéval, mais où le parfum exotique des pâtisseries tunisiennes, les tavernes grecques et les petits cinémas bondés sont bien d'aujourd'hui. Après quelques instants de méditation dans la charmante église Saint-Séverin (de style gothique flamboyant, où Dante venait prier, dit-on), vous voici prêt à donner l'assaut à la citadelle du Quartier latin: la Sorbonne.

La **Sorbonne** fut fondée en 1254 par Robert de Sorbon, chapelain de Saint Louis, pour accueillir les étudiants en

théologie dans le besoin. Plus tard, elle fut prise en main par Richelieu, qui en finança la reconstruction. L'église abrite le tombeau du cardinal.

Visitez le grand amphithéâtre de 2700 places, décoré des bustes de Robert de Sorbon, Richelieu, Descartes, Pascal et Lavoisier, et d'une immense fresque de Puvis de Chavannes intitulée *Le Bois sacré* qui couvre le mur du fond. Imaginez 4000 étudiants entassés dans l'amphithéâtre, en mai 68. La jeunesse en révolte contre l'enseignement désuet, la bureaucratie universitaire, les facultés surpeuplées et les bases mêmes du système **53** social, fit de la Sorbonne son quartier général. Quand les forces de l'ordre entrèrent dans le «sanctuaire» – qui depuis des siècles garantissait en ses murs l'immunité des

étudiants – la rébellion y était déjà installée.

A deux pas, dressé comme un modèle édifiant offert aux étudiants, le **Panthéon** abrite les tombeaux des héros nationaux de la Guerre, de la Politique, des Arts et des Lettres. C'était à l'origine, en 1755, une église dédiée à sainte

Aux terrasses du Boul'Mich, on oublie tous les soucis quotidiens.

Geneviève par Louis XV, guéri d'une grave maladie. Elle fut sécularisée à la Révolution pour devenir un vaste mausolée. Sur le fronton sont gravés ces mots: «Aux Grands Hommes, la Patrie reconnaissante». Les gouvernements révolutionnaires eurent bien du mal à s'accorder sur le choix des premiers pensionnaires. On en retira Mirabeau et Marat. Napoléon crut résoudre le dilemme en rendant l'édifice à l'Eglise. Tout au long du XIXe siècle, le Panthéon suivit ainsi les aléas des conflits entre l'Eglise et l'Etat. C'est finalement Victor Hugo qui mit tout le monde d'accord; les funérailles grandioses que lui fit Paris confirmèrent le Panthéon dans son rôle de mausolée. Victor Hugo installé, on lui assura – rétroactivement – le voisinage de Voltaire et de Rousseau. Puis vinrent Gambetta, Jean Jaurès, Emile Zola, Louis Braille (l'inventeur du système de lecture pour les aveugles), Raymond Poincaré et beaucoup d'autres.

Toute la colline est dédiée à sainte Geneviève qui lui donna son nom; mais l'église Saint-Etienne-du-Mont, derrière le Panthéon, lui est particulièrement consacrée. La façade en est très intéressante, ainsi que le jubé qui sépare la nef du chœur. Si vous prenez à droite, la rue Descartes, vous arriverez bientôt place de la Contrescarpe. Cette charmante placette, très parisienne, marque le sommet de la rue Mouffetard où se tient un marché très vivant le jour, et qui devient le rendez-vous des noctambules, le soir. (Par la rue Lacépède, on accède aux arènes de Lutèce.)

Si ces escalades vous ont fatigué, revenez au boulevard Saint-Michel que vous traverserez pour trouver le calme au **Jardin du Luxembourg.** Au cas où vous auriez fait quelques provisions rue Mouffetard, vous pourrez y organiser un délicieux pique-nique; sinon, les alentours fourmillent de marchands de sandwiches. En dépit de ses origines remontant au XVIIe siècle, le Jardin du Luxembourg n'a pas la rigueur des parcs classiques de Versailles ou des Tuileries. Les grands arbres, l'Orangerie, le bassin ornemental contribuent à l'agréable perspective que l'on découvre de la terrasse, près de la fontaine Médicis. Le palais, construit pour Marie de Médicis au début du XVIIe siècle, abrite le Sénat. Le cadre bucolique inspira Watteau. A l'autre extrémité du jardin, on est déjà à Montparnasse.

Montparnasse

Des étudiants, transfuges du Quartier latin au XVIIᵉ siècle, donnèrent son nom à la colline qui se dressait ici: le Parnasse, le séjour des Muses. Depuis lors, la colline a été rasée, mais les muses n'ont cessé d'inspirer les habitants des lieux.

Au siècle dernier, des bals s'y installèrent. La polka, la mazurka, le cancan naquirent dans les «bastringues» comme la Grande Chaumière. Mais c'est à la Belle Epoque que l'endroit fut définitivement choisi par les artistes et les intellectuels.

Certains quartiers sont fiers de leurs palais ou de leurs églises. Montparnasse n'a que ses cafés. La Closerie des Lilas, d'abord rendez-vous des poètes symbolistes autour de Paul Fort, devint le quartier général de Lénine et Trotski, puis le lieu de prédilection d'Hemingway. Le Sélect, premier bar ouvert toute la nuit, était le favori d'Henry Miller. La Coupole, le Dôme, la Rotonde avaient les faveurs de Picasso, de Derain, de Vlaminck et de Modigliani, qui habitait La Ruche à côté du Douanier Rousseau. Le **boulevard du Montparnasse** résonne encore des pas de Chagall, Léger, Stravinsky, Breton, Cendrars, Max Jacob, Cocteau. C'était la grande époque de l'Ecole de Paris, qui ne prit fin qu'avec la guerre d'Espagne, en 1936.

Le Jardin du Luxembourg est là pour qui veut rêver un moment.

Au **cimetière du Montparnasse** vous pourrez voir, parmi d'autres tombes, celles de Baudelaire, de Maupassant et de Sartre.

La tour de 60 étages qui domine la gare et que les gens du quartier prétendent ne pas voir n'a rien détruit du mythe de Montparnasse.

Saint-Germain-des-Prés et le faubourg Saint-Germain

C'est le quartier littéraire par excellence, siège des grandes maisons d'édition, de l'Académie française, des librairies et des cafés littéraires, mais aussi un endroit très agréable pour observer les Parisiens, à toute heure du jour ou de la nuit. Au

lendemain de la Libération, c'était le fief de Jean-Paul Sartre et des existentialistes, reconnaissables à leur immuable «uniforme» de velours côtelé agrémenté d'une longue écharpe de laine. Pendant la guerre, et jusque vers les années 50, c'était aussi le royaume du jazz et des caves enfumées, hantées par Boris Vian ou Juliette Gréco.

Aujourd'hui les discothèques ont remplacé les caves et l'existentialisme a fait son temps. Mais l'atmosphère décontractée des terrasses de cafés de la place Saint-Germain-des-Prés est toujours la même. Côté ouest, c'est le célèbre «Aux Deux Magots», au nord, le café Bonaparte. Leurs terrasses donnent sur un théâtre permanent de mimes, de musiciens et de cracheurs de feu qui «font la manche», et d'excentriques en tout genre qui se produisent gratuitement. Un peu plus loin sur le boulevard, le café de Flore garde un ton plus «intellectuel», vestige, sans doute, d'un passé d'intense confusion idéologique. Il a successivement été le quartier général du groupe d'extrême droite Action française, autour de Charles Maurras (dans les dernières années du siècle passé), le lieu de rendez-vous des surréalistes Apolli-

naire et André Salmon, qui aimaient y provoquer des bagarres, à la veille de la grande guerre, et, plus près de nous, de Sartre et des existentialistes.

Mais Saint-Germain-des-Prés possède des monuments plus édifiants. Au cœur du quartier, l'église **Saint-Germain-des-Prés** marque l'apogée de l'architecture romane parisienne et l'on y décèle les prémices du gothique. Restauré au siècle dernier, l'ensemble a considérablement changé depuis sa construction, au XIe siècle: il n'en subsiste que la massive tour. Le portail du XIIe est dissimulé par le porche ajouté au XVIIe siècle.

Au nord de la place, la rue Bonaparte file vers la Seine; elle mène à la prestigieuse **école des Beaux-Arts,** un curieux bâtiment où sont mêlés des éléments d'architecture gothique et Renaissance. Lorsqu'on débouche sur le quai Malaquais, on est bientôt en vue de l'**Institut de France,** siège de l'Académie, sis quai de Conti, face au Louvre auquel il est relié par le pont des

Certaines boutiques sont animées d'une authentique vie de quartier.

Arts. Conçu en 1668 sur l'emplacement de la tour de Nesle par l'architecte Le Vau, l'Institut forme le complément harmonieux au Louvre. A l'origine, il était destiné aux fils de gentilshommes de province; en 1805, il fut attribué à l'Institut de France qui se compose de l'Académie française, de l'Académie des Inscriptions et Belles Lettres, de l'Académie des Beaux-Arts et de l'Académie des Sciences morales et politiques. L'Académie française, la plus connue, a été fondée en 1635 par Richelieu. On peut visiter la salle des séances ordinaires et la salle des séances solennelles, où ont lieu les cérémonies de réception des Immortels. Les guides ne manquent pas de signaler le pavillon qui se dresse à l'emplacement de la tour de Nesle. Elle servit de lieu de rendez-vous à Jeanne de Bourgogne et à ses jeunes amants dont on retrouvait, dit-on, les cadavres dans la Seine au matin...

Au carrefour du quai Anatole France et du boulevard Saint-Germain, face au pont de la Concorde, trône le **Palais-Bourbon,** dont la colonnade «à la grecque» fait pendant, de l'autre côté de la place de la Concorde, à l'église de la Madeleine. C'est le siège de l'Assemblée nationale. Cette imposante façade sert de rempart à l'élégant quartier du faubourg Saint-Germain (VIIe arrondissement), domaine des ambassades et des ministères, qui occupent souvent de somptueux hôtels particuliers. La colonnade ajoutée par Napoléon donne une fausse impression du palais, beaucoup plus élégant, que l'on découvre depuis sa façade sud, place du Palais-Bourbon. Il fut construit en 1772 pour la fille de Louis XIV et de Madame de Montespan. Vous ne pourrez visiter ce bâtiment officiel que sur demande, ou accompagné d'un député de vos relations... Si vous avez des amis à la Chambre, vous pourrez admirer, dans la bibliothèque, les peintures de Delacroix représentant l'histoire de la Civilisation.

Contigu au palais, le ministère des Affaires étrangères est plus souvent désigné par son adresse, le **Quai d'Orsay,** et davantage connu pour son langage diplomatique que pour sa lourde architecture

L'Institut de France, haut lieu des feux d'artifices intellectuels.

Louis-Philippe. Le Premier ministre a plus de chance que le Président de la République: l'**Hôtel Matignon,** au n° 57 de la rue de Varenne, est, sur le plan architectural, infiniment plus gracieux que l'Elysée. Il dispose d'un immense parc dont le délicieux pavillon de Musique est le théâtre des entrevues discrètes. Dans la même rue tranquille, l'ambassade d'Italie occupe, au n° 47, l'**Hôtel de la Rochefoucauld-Doudeauville,** petit bijou du XVIIIe siècle, alors qu'au 77, l'**Hôtel Biron,** abrite le musée Rodin (voir p. 73); il fut successivement la résidence du sculpteur, du poète Rainer Maria Rilke et de la danseuse Isadora Duncan.

Le pont des Arts relie l'Institut de France au Palais du Louvre.

Les Invalides et la Tour Eiffel

Depuis ce havre de tranquillité, dirigez-vous vers l'**Hôtel des Invalides** dont la coupole massive se dresse de l'autre côté du boulevard. On peut y entrer par le nord, côté esplanade, ou par le sud, côté place Vauban. Ce fut le premier rêve de grandeur de Louis XIV qui le fit édifier par Jules Hardouin-Mansart, le même architecte qui éleva ensuite Versailles. Ce fut le premier

hospice destiné aux soldats blessés au service du roi. Tout en lui gardant sa fonction originale, Napoléon y ajouta le musée de l'Armée, nouvelle célébration de ses victoires; quelques années plus tard, la chapelle fut elle aussi consacrée à la gloire de l'empereur, lorsqu'on ramena son corps de Sainte-Hélène pour l'y déposer, en 1840.

Le monument funéraire est placé dans une fosse, directement sous la coupole. L'empereur, vêtu de l'uniforme vert des Chasseurs de la Garde, repose dans six cerceuils gigognes: le premier est de fer, le second d'acajou, les deux suivants de plomb, le cinquième d'ébène, et le dernier, à l'extérieur, de chêne. Le monument de porphyre rose de Finlande est posé sur un socle de granit vert des Vosges. La fosse est entourée de 12 *Victoires* sculptées par Pradier.

L'église **Saint-Louis-des-Invalides** est décorée des drapeaux pris à l'ennemi au cours de l'épopée napoléonienne. Le jardin ouvert vers l'esplanade, au nord, présente, de chaque côté du portail, deux chars Panther allemands capturés dans les Vosges par la division Leclerc. Dans la cour d'honneur sont exposés les 18 canons constituant la Batterie **63** triomphale, dont huit pièces ont été ramenées de Vienne. L'empereur la faisait tirer lors de très grands événements comme la naissance de l'Aiglon, en 1811; elle a annoncé l'Armistice de 1918 et salué les funérailles du maréchal Foch, en 1929.

Après avoir visité le musée de l'Armée, poursuivez, pour rester dans le ton, vers l'**École militaire** et le **Champ-de-Mars,** vaste esplanade où les officiers s'exerçaient et où avaient lieu les manœuvres de parade jusqu'au XVIIIe siècle. Dans les grandes occasions, ces manifestations pouvaient réunir jusqu'à 10 000 soldats. Par la suite, et jusqu'au milieu du siècle dernier, on y disputait des courses de chevaux. C'est là qu'eut lieu la Fête de la Fédération, le 14 juillet 1790. Entre 1867 et 1937, le Champ-de-Mars servit de cadre à cinq expositions universelles, dont celle de 1889 qui donna naissance à la Tour Eiffel.

Il existe des monuments qui célèbrent des héros, commémorent des victoires, honorent des saints ou des rois. Et puis, il y a la **Tour Eiffel,** un monument en soi, un défi lancé au monde, un pied-de-nez aux esthètes bornés. A l'époque de sa construction, elle fut aussi un triomphe de la technique: 15 000 éléments d'acier assemblés par 2 500 000 rivets, une flèche de 300 m, la plus haute construction du monde de l'époque.

Le jour de l'inauguration, les ascenseurs n'étaient pas encore en service, et le Premier ministre, Pierre-Emmanuel Tirard, âgé de 62 ans, dut s'arrêter au premier étage. Il délégua le ministre du Commerce vers les sommets où Gustave Eiffel attendait de recevoir la Légion d'honneur. La tour était vouée à l'éphémère: mais, en 1910, quand on songea à la démonter, elle était déjà adoptée par les Parisiens.

Les esthètes de l'époque la haïssaient. Guy de Maupassant signa un manifeste contre cette «tour vertigineusement ridicule», et Verlaine modifia l'itinéraire de ses promenades dans Paris pour être sûr de ne pas la voir! Aujourd'hui, elle est tellement le symbole de Paris, que ne pas l'aimer serait ne pas aimer la ville.

Tous les ascenseurs fonctionnent, à présent! La première plate-forme possède un restaurant, les deux autres des bars. De la plate-forme supérieure, la **vue** porte, par temps clair, à plus de 50 km à la ronde. Le meilleur moment pour jouir du panorama est le crépuscule.

Du côté de l'île Saint-Louis, face à la Seine, vous distinguerez l'une des plus récentes réalisations parisiennes, l'**Institut du monde arabe,** une véritable maison de la culture, avec musée et médiathèque, financée par une vingtaine de pays arabes de même que par la France.

Au musée de l'Armée des Invalides: la tradition militaire française.

Les musées

Le Louvre

Les collections du musée le plus célèbre du monde sont logées dans un ancien palais royal. Elles sont ouvertes de 9 h 45 à 17 h et fermées le mardi (voir pp. 32–33).

Ce musée est si vaste qu'il effraie parfois les visiteurs. Mais ne pas y aller serait un crime. Rien ne vous oblige à tout voir et à tout faire en une

seule fois. D'abord forteresse, puis palais, sans cesse remanié au cours des siècles, le Louvre n'est pas encore terminé. Il vient de recevoir une dernière adjonction: une nouvelle et spectaculaire entrée, plus adaptée, avec librairies et cafés souterrains, le tout couronné d'une immense pyramide de verre, due à l'architecte américain Ieoh Ming Pei. C'est la plus controversée de toutes ses réalisations.

C'est François Ier qui inaugura les collections en ache-

Le Louvre cache des trésors qui font rêver nombre de visiteurs.

tant quatre Raphaël, trois Vinci et son propre portrait par Titien. En 1793 on dénombrait 650 œuvres d'art; et 173 000 au dernier inventaire de 1933!

Nous nous contenterons de vous indiquer les œuvres capitales de chaque section. Passé le hall d'entrée actuel, dirigez-vous vers le grand escalier (escalier Daru) dominé par la **Victoire de Samothrace,** statue de marbre (200 av. J.-C.) découverte sur cette île en 1863.

C'est le brillant préambule aux salles consacrées à la Grèce et à la Rome antiques. Au centre de la salle qui lui est exclusivement réservée, la **Vénus de Milo** émeut les visiteurs les plus blasés. Les proportions de cette Aphrodite du IIe siècle av. J.-C. sont tout simplement parfaites. Les antiquités égyptiennes et orientales occupent le reste du rez-de-chaussée, ainsi que l'étage supérieur où se trouve aussi le mobilier provenant des appartements royaux. Si l'on continue vers la galerie d'Apollon, on découvre les joyaux de la couronne de France, particulièrement le «Régent», énorme diamant de 137 carats!

Le reste du premier étage est consacré à la peinture. Au centre de la grande Galerie sont exposés les primitifs italiens et les peintres de la Renaissance. Trônant au centre de la salle des Etats, la **Joconde** est la vedette du Louvre, et peut-être le plus célèbre tableau du monde. **Léonard de Vinci,** qui mit quatre ans à la fignoler, n'était jamais satisfait du résultat. On notera également la *Femme à sa toilette* de **Titien,** délicieusement sensuelle, ainsi que le *Portrait d'un Vieillard* de **Ghirlandaio.**

L'extrémité ouest de la grande Galerie est consacrée à la peinture flamande et hollandaise. Dans la partie réservée à **Rembrandt,** voyez tout spécialement l'*Autoportrait à la Toque,* le tendre *Portrait de Hendrickje Stoffels,* compagnon des vieux jours, et la pétulante *Bethsabée au bain.* On remarquera aussi le portrait de *Charles Ier* par **Van Dyck,** *Hélène Fourment et ses Enfants* de **Rubens** et les *Quatre Evangélistes,* vus à la manière hollandaise par **Jordaens.** De la peinture allemande, retenons le solennel *Autoportrait* de **Dürer,** cadeau destiné à sa fiancée (galerie Médicis).

A l'ouest, l'aile de Flore est consacrée aux peintres italiens du XVIIe siècle, ainsi qu'aux peintres espagnols. Ces derniers sont représentés par le **67**

Portrait de la Reine Marianne, de **Vélasquez,** le *Christ en Croix* du **Greco,** et le *Pied-bot* de **Ribera,** parmi beaucoup d'autres.

Revenons vers la grande Galerie dont l'extrémité est propose des chefs-d'œuvre de la peinture française classique et romantique. Une pièce de taille dont l'intérêt historique rivalise avec les qualités artistiques: le *Sacre de l'Empereur Napoléon Ier* peint par **David.** S'il fallait faire un choix, il faudrait sans doute citer l'*Embarquement pour Cythère* et *Gilles* de **Watteau,** le *Bain turc* d'**Ingres,** les *Bergers d'Arcadie* de **Poussin;** les très célèbres *Radeau de la Méduse,* de **Géricault,** et *La Liberté guidant le Peuple,* de **Delacroix,** sont les plus marquants exemples de la peinture romantique française.

De retour au rez-de-chaussée, on sortira place du Carrousel pour se diriger vers les sculptures (entrée sous les passages voûtés du Carrousel). En quelques salles on découvre un sublime panorama de la sculpture occidentale, depuis l'**art roman** jusqu'à **Rodin,** en passant par les *Esclaves* de **Michel-Ange,** la *Vierge d'Issenheim,* et la *Vierge à l'Enfant,* un bas-relief de **Donatello.**

68

Beaubourg

Ouvert de midi à 22 h en semaine et depuis 10 h le week-end, il ferme le mardi. Le gouvernement aurait bien aimé que le nouveau Centre soit désigné par son nom officiel: le Centre National d'Art et de Culture Georges Pompidou. Mais les Parisiens ont l'esprit pratique, ils disent «Beaubourg». C'est le président Pompidou qui lança l'idée d'un nouveau sanctuaire de l'Art et de la Culture au cœur de Paris; le projet définitif eut bien du mal à naître, et il n'a pas fini d'alimenter les controverses. Terminé en 1976, il suscite autant de polémiques que la Tour Eiffel en son temps.

Dessiné par l'architecte italien Renzo Piano et l'architecte anglais Richard Rogers, il fait irrésistiblement penser à une raffinerie de pétrole. Les créateurs ne réfutent pas la comparaison: ils ont délibérément laissé apparents les organes fonctionnels de l'édifice en les marquant d'une couleur-code: rouge pour les moyens de transport (ascenseurs, escaliers mécaniques, monte-charge), vert pour les

Place Igor Stravinsky, la fontaine due à Tinguely et à Saint-Phalle.

canalisations d'eau, bleu pour les conduites d'air et jaune pour le système électrique.

Beaubourg, c'est d'abord une possibilité de pénétrer, dans un espace relativement restreint, au cœur même de la culture. Jugez plutôt: on y trouve une bibliothèque publique d'information, le Centre national d'art contemporain, le Centre de création industrielle, un laboratoire de recherche musicale, une cinémathèque, un atelier réservé aux enfants et même, aux 3e et 4e étages, le musée national d'Art moderne.

Mais avant tout, le plus grand plaisir, c'est de monter dans les gros tubes transparents qui rampent le long de la façade pour admirer Paris depuis le 4e étage.

Avec ses sculptures dues à Niki de Saint-Phalle, la **fontaine animée de Tinguely**, située place Igor Stravinsky, évoque l'œuvre du grand compositeur.

Autres musées*

Situé dans l'aile nord-ouest du Palais du Louvre, le **Musée des arts décoratifs** possède sa propre entrée, au 107 de la rue de Rivoli. Il est renommé pour ses expositions temporaires consacrées aux arts appliqués et à l'architecture. Les collec-

tions permanentes illustrent l'histoire des objets de la vie quotidienne à travers les âges et les sociétés.

Le **musée national des Arts de la mode,** voisin du Louvre, est consacré aux collections de haute couture qui ont fait la gloire et la fortune de Paris.

Sur l'autre rive de la Seine, une ancienne gare du siècle passé a été entièrement réaménagée en musée. Les collections du **musée d'Orsay** retracent l'extraordinaire vitalité de la France de 1848 à 1914 en matière de peinture, sculpture, arts décoratifs, photographie et architecture.

Le niveau supérieur est consacré aux exceptionnelles **collections impressionnistes et post-impressionnistes,** jadis exposées au pavillon du Jeu de Paume.

Vous apprécierez aussi le somptueux restaurant, la cafétéria installée sous l'une des deux horloges monumentales et la vue sur la Seine que l'on découvre de la terrasse.

Au bout du Jardin des Tuileries, côté Seine, le **pavillon de l'Orangerie** abrite deux collections d'art qui vont de l'impressionnisme aux années 30.

---

* La plupart des musées ferment le mardi.

Dans la salle ovale est exposée la série des *Nymphéas* de Monet.

Entre les Champs-Elysées et la Seine, le **Grand Palais** et le **Petit Palais** ont tous deux été construits pour l'exposition de 1900. Ils accueillent des expositions temporaires de grande envergure; le Petit Palais abrite aussi les collections de la donation Dupuis. Rubens, Téniers, Ruysdael côtoyent Rembrandt et Dürer, ainsi que des meubles et des bibelots rares. Dans l'aile ouest du Grand Palais, le Palais de la Découverte et son fameux planétarium proposent une initiation passionnante aux sciences et aux découvertes contemporaines.

Au **musée de l'Homme** (Palais de Chaillot), toutes les cultures du monde sont représentées; pour mieux

Au musée Picasso, les énigmatiques figures du grand artiste.

La Villette: un moment de détente sous les reflets de la Géode.

connaître les civilisations africaines, asiatiques, arctiques, océaniennes et américaines... sans oublier celles de la vieille Europe.

Le **musée de Cluny** (6, place Paul-Painlevé), au cœur du Quartier latin, a pour cadre l'un des plus beaux hôtels gothiques de Paris. Les fondations et les sous-sols sont constitués par les **thermes** de Cluny, un des rares souvenirs de la Lutèce romaine des IIe et IIIe siècles apr. J.-C. Vous y verrez les vestiges du temple de Jupiter (Ier siècle) découverts près de Notre-Dame. La délicate chapelle flamboyante possède une tapisserie de Saint-Etienne. Mais elle est éclipsée par la **Dame à la Licorne,** joyau de la tapisserie du XVIe siècle dont l'auteur est inconnu et qui fut mille fois reproduite. Chacun des

six panneaux représente une jeune femme accompagnée d'une licorne, symbole de la pureté. Pour rester dans l'ambiance de Lutèce, on visitera les arènes en se dirigeant vers la rue Monge, par la rue des Écoles.

Les passionnés du vieux Paris se rendront au **musée Carnavalet,** situé à l'angle de la rue des Francs-Bourgeois et de la rue de Sévigné. Tous les documents présentés (objets, souvenirs, lettres, gravures, peintures) ont trait à l'histoire de la capitale. (Fermé le lundi.)

Notez encore trois charmants petits musées consacrés respectivement à **Balzac** (47, rue Raynouard), à **Delacroix** (au 6 de la gracieuse place Fürstenberg), et à **Rodin** (77, rue de Varenne); ils rassemblent, dans leur cadre quotidien, des souvenirs et des travaux de ces trois personnages. Au musée Rodin, dans l'Hôtel Biron (voir p. 62), vous admirerez de nombreuses sculptures (un *Portrait de Victor Hugo,* le célèbre *Penseur)* et la collection personnelle de l'artiste (des peintures de Renoir, de Manet et de Van Gogh).

Inauguré en 1985 dans l'Hôtel Salé (5, rue de Thorigny, dans le Marais), le **musée Picasso** existe grâce au don que les héritiers du peintre ont fait à l'Etat. Outre un très grand choix de ses œuvres, on y trouve une sélection de sa collection de tableaux personnelle (Cézanne, Degas, Braque, Matisse, Miró, etc.).

Parc de La Villette

Aménagé au nord-est de la ville, sur le site des anciens abattoirs, ce magnifique parc, conçu pour la distraction et la détente, est en train de devenir **73** l'un des pôles culturels et scientifiques de la capitale. La **Cité de la musique** n'est pas terminée, mais la **Cité des sciences et de l'industrie** fait déjà appel à la participation de chacun pour mieux comprendre le monde industriel et scientifique moderne.

La **grande Halle,** superbe témoin de l'architecture métallique du XIXe siècle, accueille expositions et manifestations culturelles. La **Géode,** une magnifique sphère en acier poli, donne à ses visiteurs l'illusion d'être à l'intérieur du film projeté sur un écran hémisphérique de 1000 m².

Véritable cité du rock, le **Zénith** est une salle de concert modulable qui peut accueillir jusqu'à 6400 spectateurs.

Bois de Boulogne et bois de Vincennes

Aux extrémités est et ouest de Paris, mais bien intégrés à la ville, deux vastes bois lui permettent de respirer.

Le **bois de Boulogne** – les habitués l'appellent familièrement «le Bois» – couvre 900 ha. C'est ce qui reste de la forêt de Rouvray, laissée à l'état sauvage jusqu'en 1852. Napoléon III décida d'en faire

un lieu de détente pour les Parisiens.

Au XVIIe siècle, le bois était fréquenté par la bonne société qui se rendait à l'abbaye de Longchamp (à l'emplacement du champ de course) ou aux châteaux de La Muette et de Bagatelle. Il devint ensuite le terrain de prédilection des duellistes, hanté la nuit, comme aujourd'hui, par une faune aux mœurs douteuses. Les aménagements signés par le baron Haussmann au bois

de Boulogne comptent parmi ses plus heureuses réalisations: allées cavalières et cyclables, sentiers de promenade, lacs, restaurants et cafés.

Le parc de Bagatelle, exquis jardin aux mille variétés florales, est l'une des principales attractions du bois. Mais les enfants lui préfèrent le Jardin d'Acclimatation, avec son petit train, son théâtre guignol et ses animaux.

Le **bois de Vincennes** offre à peu près les mêmes plaisirs, avec une touche un peu plus populaire. C'était le terrain de chasse royal de Philippe Auguste et de Saint Louis; c'est là, sous un chêne, que celui-ci rendait la justice.

Au nord du bois, le château de Vincennes se signale par un donjon massif du XIVᵉ siècle et une enceinte partiellement restaurée par Mazarin.

A voir aussi, le parc floral de Paris et surtout le zoo de Vincennes, le parc zoologique le plus riche de France.

Paris souterrain

Une des visites les plus impressionnantes proposées par la municipalité est celle des **égouts.** Dans des conditions d'hygiène irréprochables vous pourrez entreprendre une véritable expédition sous les rues (départ du pont de l'Alma). Le guide vous expliquera les processus de traitement chimique des eaux usées et leur épandage dans les champs de la région parisienne. Une pratique de fertilisation qui remonte à 1868.

Vous découvrirez par la même occasion le réseau des câbles télégraphiques et téléphoniques qui profite de ces souterrains très compliqués.

Une autre attraction mystérieuse ravira les amateurs de fantômes, les **catacombes** (entrée 2, place Denfert-Rochereau). C'est un immense complexe de galeries, d'abord creusées pour extraire la pierre à bâtir, et transformé ultérieurement en sépulture collective. Les restes de 6 millions d'inconnus y reposent, transportés des cimetières surpeuplés, ou directement enterrés ici aux périodes sanglantes (la Terreur, par exemple). Crânes et ossements forment souvent de macabres arrangements décoratifs. Au-dessus de l'entrée sont inscrits les vers du poète Jacques Delille: «Arrête, c'est ici l'Empire de la Mort».

Que faire

Les achats

A Paris, les achats sont une aventure et un spectacle. Les adultes retombent en enfance; les enfants rêvent d'avoir un vrai porte-monnaie d'adulte... L'embarras du choix est parfois aussi contrariant que des vendeuses trop convaincantes. Paris accumule les deux inconvénients. Il faut donc savoir ce que l'on veut et ce que l'on aime. C'est alors seulement que le client est le roi, que prévenance et gentillesse apparaissent. Soyez aimable – Paris vous le rendra.

Les grands magasins

Voyez comme les choses sont bien faites: les deux grands magasins les plus intéressants pour le visiteur, le **Printemps** et les **Galeries Lafayette,** s'élèvent côte à côte sur le boulevard Haussmann. Des hôtesses sont là pour vous aider à trouver votre bonheur. Des étages entiers proposent les productions des grands noms du prêt-à-porter et des boutiques «in». Toute une section est consacrée à la mode «20 ans».

Près de la Madeleine, sur le boulevard des Capucines, les **Trois Quartiers** perpétuent la

tradition du bon goût sans audace; le **Bon Marché** fut le premier des grands magasins de Paris (1852) et servit de modèle au *Bonheur des Dames* de Zola. La **Samaritaine,** près du Pont-Neuf, est réputée pour son grand choix. Depuis le bar du 10ᵉ étage, la vue est unique. Le **Bazar de l'Hôtel-de-Ville** (BHV) prétend vendre de tout: allez vérifier! Les rayons «Bricolage», «Automobile» et «Camping» peuvent être bien utiles. Tous ces magasins ont un service de détaxe (pour la rétrocession de la TVA).

La **FNAC,** prototype d'une nouvelle génération de magasins (Forum des Halles, Montparnasse et Ternes), offre en matière de disques et de livres un choix immense, le plus vaste qui se puisse trouver dans la capitale.

Les **drugstores** n'ont pas grand-chose à voir avec leurs cousins d'Amérique. C'est un assemblage de bars, de restaurants, de boutiques aux articles très variés et chers. Ouverts jusqu'à 2 h du matin, ils sont situés à Saint-Germain-des-Prés, avenue Matignon et sur les Champs-Elysées.

La mode

Inutile d'ergoter pour savoir si Paris partage son titre de capitale de la mode avec New York, Rome ou Tokyo. Allez seulement faire un tour rue du Faubourg-Saint-Honoré, avenue Montaigne, avenue Georges V, place des Victoires ou dans le quartier des Halles. De la rive droite, les maisons de couture et leurs boutiques de prêt-à-porter ont aussi essaimé rive gauche, autour de Saint-Germain-des-Prés.

Les grandes maisons sont toujours très actives: Dior, Chanel, Lanvin, Givenchy, Saint-Laurent, Ungaro ou Louis Féraud. Mais ne manquez pas non plus les représentants de la nouvelle génération: Gaultier, Mugler, Montana et leurs concurrents étrangers, Yamamoto, Issey Miyake, Valentino et Missoni. Sans oublier une multitude de boutiques moins luxueuses, dont la production s'inspire de l'œuvre des grands créateurs, et qui s'adressent à une clientèle «branchée»... Comme à celle qui veut le paraître...

Hermès, rue du Faubourg-Saint-Honoré, est une véritable institution. Les chaussures, la maroquinerie, les foulards, les cravates, les accessoires d'équitation... tout y porte une griffe inimitable (et souvent imitée).

Les coiffeurs parisiens sont renommés pour leur talent et

leur sensibilité! Jamais vous n'aurez été mieux coiffée qu'en sortant de chez Carita, Alexandre, Maniatis, Jean-Louis David ou Jacques Dessange. Pour celles qui veulent être belles de la tête aux pieds, il existe des traitements de beauté chez Guerlain (aux Champs-Elysées), chez Lancôme (au Faubourg-Saint-Honoré) ou chez Fernand Aubry (avenue de La Bourdonnais).

Superbes antiquités ou objets kitsch: le marchandage s'impose aux Puces.

Antiquités et brocante

A Paris, il existe deux marchés parallèles de l'antiquité: les vrais **antiquaires** qui vendent au prix fort dans leurs boutiques des VIe et VIIe arrondissements et les divers marchés aux puces de la périphérie. Rendez-vous dans les petites boutiques raffinées, disséminées pour la plupart entre la Seine et le boulevard Saint-Germain. Parcourez les rues nord-sud: rue Bonaparte, des Saints-Pères, de Beaune, du Bac; puis est-ouest: rue Jacob, rue de Lille, de Verneuil, de l'Université. Le Louvre des antiquaires (2, place du Palais-Royal, fermé le lundi) rassemble d'autre part 250 boutiques. Une concentration unique en Europe! Nombre d'antiquaires sont spécialisés dans un style ou une catégorie d'objets.

Mais pour faire des trouvailles, mieux vaut aller fouiner dans les **marchés aux puces**, ouverts du samedi au lundi. Le plus important est celui de Saint-Ouen (métro Porte-de-Clignancourt) qui regroupe en fait plusieurs marchés: celui de Vernaison est spécialisé dans les instruments de musique, les soldats de plomb, les jouets anciens, les boutons, les cuivres et les étains; le marché Biron n'est qu'un rassemblement d'antiquaires, où les prix sont presque aussi élevés qu'à Paris; le marché Malik attire les jeunes pour ses vêtements «rétro» et ses surplus américains. Au marché Paul-Bert, on peut encore espérer trouver l'objet qui réjouira tout vrai chineur, à condition de venir à l'aube, avant les antiquaires. Le marché Jules-Vallès est petit et charmant; il est réputé pour les lampes *modern style*, les authentiques souvenirs militaires, les costumes de théâtre et les poupées anciennes.

Les **bouquinistes** rangent leurs boîtes sur le parapet, le long de la Seine, entre le pont Saint-Michel et le pont des Arts. Si, à l'origine, ils vendaient des livres d'occasion, beaucoup proposent maintenant du chromo pour touristes. On peut encore y dénicher de vieilles revues, quelques belles reproductions, et des livres sur les sujets les plus bizarres. Si vous êtes bibliophile, dirigez-vous vers la librairie Rieffel, 15, rue de l'Odéon, et si vous êtes passionné de cartes et de gravures anciennes, faites un tour rue Saint-Sulpice.

Les amateurs d'**art moderne** visiteront les galeries du boulevard Saint-Germain, des Halles et du Marais.

Gourmandises

Partout en France vous trouverez des **spécialités culinaires**
à rapporter pour les faire goûter à vos amis; mais à Paris,
vous avez le choix de la
France entière. Emballages et
conditionnement sont prévus
pour voyager et certaines
boutiques ont l'habitude des

*Le marché aux fleurs de l'île de
la Cité: une bouffée de fraîcheur.*

démarches nécessaires en cas
d'exportation; elles vous proposent d'expédier elles-mêmes
la marchandise.

Qui dit alimentation de luxe
pense à Fauchon, place de la **81**

Madeleine. Ici, clientèle huppée et réputation inébranlable vont de pair avec un service courtois et souriant, même si vous n'achetez qu'un caramel! Hédiard, de l'autre côté de la place, est tout aussi raffiné. Pour vos pique-niques, vous pourrez vous approvisionner à la charcuterie Couesnon, rue Dauphine. Et pour le pain, une adresse à retenir: rue du Cherche-Midi, chez Poilâne.

Vous avez envie de rapporter ou de vous faire expédier du **vin,** mais vous n'avez pas le temps de faire une tournée de dégustation en Bourgogne ou dans le Bordelais? Qu'à cela ne tienne, à Paris vous avez le plus grand choix. Certains magasins ont des succursales dans toute la ville; les Caves de la Madeleine (24, rue Boissy d'Anglas) sont les plus étonnantes, avec un «échanson» anglais!

Enfin il y a les marchés, fixes ou hebdomadaires, à explorer le matin. Les plus colorés sont ceux de la rue Mouffetard, de Maubert, de la rue de Seine sur la rive gauche; de la rue Lepic et des Abbesses, de la rue des Martyrs et de Passy sur la rive droite.

Sans sa baguette croustillante, Paris ne serait pas ce qu'il est.

Les sports

Les sports les plus populaires en France sont le football, le rugby et le cyclisme; la plupart des Français les pratiquent derrière leur poste de télévision... On voit pourtant grandir le nombre des sportifs du dimanche qui font du **jogging** ou du **vélo** au bois de Boulogne ou de Vincennes. Pour jouer au **tennis,** prenez contact avec la Fédération Française de Tennis, au stade Roland-Garros (2, avenue Gordon-Bennett); ou allez directement aux Jardins du Luxembourg, mais avec six courts seulement, c'est la loi de la jungle! Certains hôtels ont des arrangements avec des clubs (environ 400) et peuvent vous fournir un court.

Pour la **natation** en plein air, allez à la piscine Deligny, près du Palais-Bourbon, ou à la piscine Molitor (porte Molitor). Au Centre de Natation (34, boulevard Carnot), la piscine olympique est fort agréable; et vous avez encore le choix parmi une trentaine de piscines municipales couvertes.

Le **patinage** se pratique de septembre à mai au Palais de Glace, Rond-Point des Champs-Elysées; à la patinoire olympique, rue du **83**

Commandant-Mouchotte; et à la patinoire Molitor, avenue de la Porte Molitor.

On joue de plus en plus au **bowling.** Les pistes sont excellentes au Bowling de Montparnasse (rue du Commandant-Mouchotte) ou au Bowling de Paris (bois de Boulogne).

Il existe un peu partout, des académies de **billard.** Tous les jardins publics ont des pistes de **pétanque** ou de boule.

En tant que spectateur, vous pourrez assister à un match de **catch,** de **boxe** et de **boxe française.** Les combats ont généralement lieu Salle Wagram ou au Palais des Sports de la Porte de Versailles. Vous apprécierez aussi, sans doute, l'ambiance des **courses de chevaux** à Longchamp, à Auteuil ou à Vincennes.

Les plus grands matches de **football** et de **rugby** se jouent au Parc des Princes, en bordure du bois de Boulogne. Les grands tournois de tennis se déroulent à Roland-Garros, mais aussi au bois de Boulogne. Le Parc omnisport de Bercy abrite les grandes manifestations en salle.

Pour des informations sur tous les sports praticables à Paris, contactez «Allo Sports» (tél. 42.76.54.54).

Excursions

Si vous devez faire un choix, c'est à **Versailles** qu'il faut aller en premier lieu. A une vingtaine de kilomètres de Paris, Louis XIV installa la plus somptueuse des cours européennes. Poursuivant la construction du château que son père avait commencée, le roi confia à Le Vau le soin d'agrandir la tour de Marbre. Quelques années plus tard, en 1668, il demanda à Hardouin-Mansart des améliorations de la grande Galerie et des ailes, pendant que Le Nôtre mettait la dernière main aux jardins et aux pièces d'eau. L'aménagement de l'intérieur permit à Le Brun d'exprimer son génie. Louis XV ajouta l'opéra et les deux pavillons, au fond du parc: le **Grand** et le **Petit Trianon.** Marie-Antoinette affectionnait ce dernier, auquel elle adjoignit un ensemble dans le goût bucolique de l'époque, le **hameau** (fermé le lundi).

Pour découvrir l'intérieur, suivez la visite guidée qui vous conduira à travers la **galerie des Glaces,** vers les apparte-

Les vitraux de la cathédrale de Chartres: une symphonie en bleu.

ments royaux et la chapelle. L'ensemble constitué par la façade occidentale, les pièces d'eau et les jardins peuplés d'une multitude de statues, forme le plus parfait accomplissement de l'art classique français. Allez canoter sur le grand canal et admirez les jeux d'eau (dès 16 h les premiers et troisièmes dimanches du mois, de mai à septembre).

Chartres (à 95 km de Paris) offre l'attrait de sa cathédrale et de ses vieilles rues. La cathédrale **Notre-Dame** est du plus pur style gothique (début du XIIIe siècle). Le triple **portail royal** est considéré comme le chef-d'œuvre de la statuaire médiévale. L'extraordinaire ensemble de **vitraux** est exceptionnellement bien conservé.

Fontainebleau (à 65 km de Paris) cumule le charme de ses 45 000 ha de forêts avec celui de son fameux **château.** Construit par François Ier en 1527, il devint le centre artistique de la Renaissance française, autour des maîtres italiens invités par le roi. Napo-

Château de Versailles: la perfection des jardins à la française.

La tradition des girls parisiennes a su trouver un second souffle.

léon y résida et fit de nombreux aménagements. La **forêt de Fontainebleau,** sur un terrain sablonneux et rocheux, est propice aux promenades à cheval et à l'escalade.

D'autres villes de l'Ile-de-France méritent aussi une excursion. **Compiègne** (à 82 km de Paris) est une charmante cité aux nombreux souvenirs historiques. Dans la **forêt** du même nom – qui offre de belles occasions de pique-nique et de promenades à pied ou à cheval – on peut voir la réplique du wagon où furent signés l'armistice de 1918 et la capitulation de 1940. Le château de **Chantilly** (à 42 km

88

de Paris) est un admirable ensemble architectural; il comprend le Petit Château, de pur style Renaissance, avec des adjonctions de l'époque classique, un parc et une belle forêt.

Le **château de Rambouillet** (à 54 km de Paris) est plus ancien encore; il date de la fin du XIVe siècle et sert de résidence au Président de la République et à ses visiteurs de marque.

Spectacles

Les folles nuits de Paris ne sont plus ce qu'elles étaient! Le Paris de la Belle Epoque, celui de Toulouse-Lautrec a disparu. Mais le mythe a survécu. Beaucoup de visiteurs sont surpris de voir que, place Blanche, le Moulin Rouge présente encore son spectacle endiablé. Le reste de Pigalle est assez sordide, à quelques exceptions près. Mais n'en fut-il pas toujours ainsi?

Parmi les brillantes exceptions, on peut citer Michou, rue des Martyrs, et son piquant spectacle de travestis. De la grande époque de José-phine Baker, Maurice Chevalier, Mistinguett et Fernandel, deux **music-halls** subsistent: Les Folies-Bergère (rue Richer), et le Casino de Paris (rue de Clichy). Le seul spectacle parisien qui puisse prétendre rivaliser avec le leur est celui du Lido. Ses *girls,* ses plumes et ses paillettes continuent d'égayer les Champs-Elysées. Mais peut-être doit-on attribuer la palme au show du Crazy Horse Saloon (avenue Georges V). Ses chorégraphes et ses décorateurs ont su renouveler le genre, avec d'extraordinaires trouvailles de mise en scène.

Rive gauche, deux spec- **89**

tacles associent *girls* et travestis dans un pastiche étonnant: l'Alcazar (rue Mazarine) et le Paradis-Latin (rue du Cardinal-Lemoine).

Si vous préférez danser vous-même, une foule de **discothèques** vous accueilleront. Les boîtes à la mode sont aujourd'hui le Palace (8, rue du Faubourg-Montmartre), le Bus Palladium (6, rue Fontaine), le Keur Samba (79, rue de la Boétie) ou le Balajo (9, rue de Lappe).

Paris compte aussi une quinzaine de **clubs de jazz,** comme le Bilboquet (rue Saint-Benoît) ou le New Morning (7–9, rue des Petites Ecuries).

Les amateurs d'art lyrique seront enchantés par l'**Opéra.** Les grands noms de l'art lyrique français et international participent à un renouveau, qui a su mériter les louanges d'une critique sévère. Vous pouvez aussi vous rendre à l'Opéra-Studio (ou l'Opéra-Comique), ou encore, si vous préférez l'opérette, passer tout simplement une soirée au Châtelet.

Le **théâtre classique** maintient ses normes exigeantes en affichant Molière, Corneille et Racine à la Comédie-Française (à côté du Palais-Royal). **90** Des œuvres du répertoire traditionnel et international sont montées à l'Odéon (rive gauche). Le théâtre Renaud-Barrault (animé bien sûr par Madeleine Renaud et Jean-Louis Barrault) est installé au Théâtre du Rond-Point (Rond-Point des Champs-Elysées) avec un répertoire nettement plus audacieux. La comédie légère reste l'apanage des théâtres de boulevard qui, comme leur nom l'indique, sont surtout concentrés autour des Grands Boulevards.

Le Kiosque du Théâtre, 15, place de la Madeleine, propose des billets de théâtre à moitié prix pour des représentations qui ont lieu le même jour. Ouvert chaque jour dès 12 h 30, il ferme à 20 h du lundi au samedi et à 16 h le dimanche.

La mode du **café-théâtre** a donné un nouvel élan aux chansonniers, qu'ils restent dans la tradition ou qu'ils tentent de renouveler le genre. Le café-théâtre offre parfois la possibilité de souper pendant le spectacle.

Les étrangers sont toujours stupéfaits de voir combien le **cinéma** tient une place importante à Paris. Vous avez le choix parmi plus de 250 films, exclusivités, reprises, art et essai... pour vous aider, achetez l'une des deux revues, *Pariscope* ou l'*Officiel des Spec-*

Un gala à l'Opéra est un grand moment de la vie du Tout-Paris.

tacles. Elles vous informent aussi sur les programmes des théâtres, des cafés-théâtres, des cabarets, sur les concerts et les expositions, etc.

Quelques conseils: ne vous laissez pas impressionner par les longues files devant les cinémas; il reste presque toujours une place; avec le nouveau système des salles groupées, vérifiez que vous êtes bien dans la bonne file; n'oubliez pas de donner un pourboire à l'ouvreuse. Faites vos réservations dès votre arrivée à Paris si vous voulez aller au théâtre, au concert ou dans un cabaret.

Peu de **fêtes populaires** ou religieuses sont célébrées dans la capitale; cependant, si vous êtes là pour le 14 juillet, ne manquez pas d'aller à l'un des nombreux bals organisés à Paris. Les plus gais ont souvent lieu dans les casernes de pompiers. Choisissez votre quartier en fonction de l'ambiance que vous préférez. Le 15 août, fête de l'Assomption, il ne se passe rien de particulier, mais Paris se vide presque totalement de ses habitants pour devenir un paradis au calme irréel...

Quoi de mieux qu'une bonne douzaine d'huîtres? Deux douzaines!

Les plaisirs de la table

Il y a des touristes qui viennent à Paris et qui ne visitent aucun musée, aucune église, qui méprisent le temps qu'on passe à faire du shopping, qui délaissent les spectacles et les excursions. Et pourtant ils repartent avec une foule d'aventures sensationnelles et poétiques à raconter, et le sentiment qu'ils connaissent parfaitement la ville. Ils ont passé leur temps à boire et à manger!

La plupart des Parisiens, comme tous les Français, peuvent difficilement se passer d'un vrai repas à midi. Dans les quartiers d'affaires, snacks et restaurants offrent généralement un menu, avec hors-d'œuvre, plat du jour, fromage ou dessert.

Le soir, c'est une autre affaire. Dîner ou souper au restaurant, cela signifie bien manger, et cela prend du temps. Après un apéritif, les hors-d'œuvre, et peut-être une entrée légère, ou un poisson, puis une viande et sa garniture, les fromages, un dessert, sans oublier le café et le pousse-café... pour digérer. Les Parisiens ont raison: il faut y consacrer une soirée. **93**

L'acquisition d'un guide gastronomique n'est sûrement pas un investissement inutile. Car rien n'est plus désagréable que de se ruiner pour mal manger. Réservez votre table à l'avance. En été, on dîne souvent plus tard qu'en hiver (entre 20 h et 23 h). En sortant du spectacle, une tradition à laquelle il faut sacrifier: la soupe à l'oignon aux anciennes Halles.

Que manger?

Il ne faut pas venir à Paris dans l'espoir de découvrir une cuisine parisienne. A Paris on peut tout goûter, les mets les plus rares et les plus exotiques; rien de tout cela n'est parisien. Il a existé, il existe toujours une cuisine de l'Ile-de-France; elle repose sur ses spécialités agricoles, haricots d'Arpajon ou de Soissons, asperges d'Argenteuil, champignons du sous-sol parisien, fromages de Brie... Aujourd'hui, les halles de Rungis reçoivent le jour même la marée de Fécamp ou de Saint-Jean-de-Luz, les primeurs de Bretagne, les fruits de Provence, les viandes du Charolais ou de Normandie.

Pour découvrir cette cuisine, il faut explorer les auberges attrayantes disséminées dans la campagne environnante. Il serait dommage de ne pas profiter d'une excursion en dehors de Paris pour partir à la recherche d'une terrasse ombragée au bord de la Seine ou de l'Oise, d'un rendez-vous de chasse au cœur des grandioses forêts d'Ile-de-France, ou de l'auberge d'un pittoresque hameau briard ou beauceron.

La cuisine que proposent les restaurants parisiens est la synthèse des meilleures inventions des cuisines régionales, exécutée avec tout le brio parisien. Les grandes réussites des cuisines provinciales se côtoient sans vergogne pour créer cette entité abstraite: la cuisine française.

Pour commencer le repas, choisissez un **hors-d'œuvre** ou un potage: selon la saison, préférez une salade (niçoise, ou frisée aux lardons, par exemple), des asperges ou des artichauts bretons; de la charcuterie (jambon cru de Bayonne ou d'Auvergne, saucisson sec ou à l'ail, andouillette, rosette de Lyon, terrines, pâtés et rillettes du Mans); ou bien du foie gras du Périgord ou d'Alsace; pensez également aux huîtres. Les soupes vont du léger consommé aux riches bouillabaisses, bourrides, garbures (soupe au pistou de Provence), soupes au chou, soupes de poisson de Bretagne, soupes de moules, bisques...

Comme **entrée,** essayez les escargots, les moules, les cuisses de grenouilles, les écrevisses à la nage. Goûtez à la quiche lorraine, aux soufflés, aux feuilletés, aux quenelles et aux mousses de poisson (de la Loire), de la matelote d'anguille, du loup, du turbot ou du rouget grillé de Provence; la raie, elle, est servie au beurre noir. Il y a aussi les bouchées à la reine, garnies de ris de veau, les pâtés en croûte chauds ou froids, les coquilles Saint-Jacques, etc.

Passons à plus «sérieux» avec les **volailles**: poularde de Bresse, coq au vin, canard à l'orange ou au sang, pintades et pigeons. Le gibier de Sologne ou d'Alsace est dégusté pendant l'ouverture de la chasse (d'octobre à mars). Les **viandes** sont innombrables: bœuf rôti, en daube ou bourguignon, carbonnade (des Flandres), entrecôte marchand de vin, châteaubriant, etc.; agneau de pré-salé normand, carré d'agneau provençal, gigot aux flageolets; sans oublier les rognons, la cervelle, les tripes (à la mode de Caen), le boudin noir. Certains plats sont un festin complet: cassoulet toulousain préparé avec du confit de porc ou d'oie, potées auvergnates, choucroutes alsaciennes...

Les **légumes** sont souvent servis en garniture. Cependant le gratin dauphinois, les châtaignes auvergnates, l'oseille, les champignons (cèpes et girolles en particulier), les salsifis fondants, les laitues braisées mériteraient souvent d'être dégustés à part.

Les **fromages** sont l'apothéose. Sur un plateau digne de ce nom figureront: le camembert, le pont-l'évêque et le livarot normands, le brie et le coulommiers, le munster alsacien, le maroilles, le saint-nectaire et la tomme de Savoie, les bleus de Bresse ou d'Auvergne, le roquefort, et quelques fromages de chèvre tels le crottin de Chavignol.

Pour le **dessert,** vous pourrez choisir un léger sorbet (au cassis, par exemple), un entremets ou une pâtisserie. Mentionnons entre autres les soufflés, aux fruits ou au grand-marnier, les clafoutis, les flans, les crêpes flambées, les diplomates, les charlottes, sans oublier les tartes aux fruits frais de saison (parmi lesquelles la célèbre tarte Tatin). N'oublions pas les fruits délicieux, cerises et mirabelles d'Alsace, les pommes de Normandie, pruneaux d'Agen, melons de **95**

Cavaillon (également en hors-d'œuvre), groseilles, mûres et framboises, raisins du Midi.

Cuisines régionales

Si l'on part du principe qu'en tout Parisien sommeille un provincial, le patron du moindre bistrot met, en général, sa province à l'honneur dans son «plat du jour». Les «spécialités du patron», ainsi que le «vin du patron», sont de ce fait rarement décevants. Et même dans les grands restaurants, vous retrouverez ces auberges régionales qui ont su conserver, jusqu'au cœur de la capitale, le meilleur de leurs secrets. Toutes les provinces sont représentées; souvent, elles se regroupent autour des gares qui desservent la province en question. Ainsi, les brasseries foisonnent autour de la gare de l'Est, alors que les restaurants de Montparnasse proposent huîtres, fruits de mer et crêpes bretonnes.

Cuisines étrangères

Les cuisines étrangères sont représentées avec un éclectisme absolu: s'il existe une cuisine esquimaude, soyez sûr qu'il y a un restaurant esquimau à Paris. Car personne n'a le palais plus curieux qu'un Parisien.

D'innombrables et excellents restaurants arabes (algériens, tunisiens et marocains) sont disséminés dans toute la ville et en banlieue. Ils ont pourtant des quartiers de prédilection: les Boulevards, Montparnasse et le quartier Saint-Séverin, où ils rivalisent avec les tavernes grecques. Couscous, merguez, brochettes sont les classiques parmi de mystérieuses spécialités très relevées. Paris est aussi un haut lieu de la cuisine vietnamienne, qu'il ne faut surtout pas confondre avec la cuisine chinoise. Les deux se côtoient d'ailleurs dans les mêmes zones, au Quartier latin, à Montparnasse et à *Chinatown* (XIIIe arrondissement).

Les nombreux Antillais de la ville ont mis à l'honneur la délicieuse cuisine créole. Parmi la foule des établissements aux spécialités exotiques, relevons encore d'excellents restaurants russes, quelques bonnes trattorias qui émergent de la masse anonyme des pizzerias, et des représentants des cuisines japonaise et indienne.

Que boire?

Il n'est pas nécessaire d'être un grand buveur pour arroser un mets succulent du vin qui lui convient. Tout l'art de composer un menu, d'harmoniser ses préférences avec celles des autres convives, tient souvent au choix d'un vin qui s'accordera avec chaque plat. Dans ce domaine, les règles ne sont jamais arbitraires et sont le fruit de l'expérience des vrais gastronomes.

Pour choisir un bon vin – grand ou modeste, ruineux ou économique – il est bon de connaître les notions indispensables à la bonne lecture de la carte des vins et des étiquettes.

Outre les vins de coupage, la catégorie la moins onéreuse est celle des vins de pays. Ils peuvent réserver d'heureuses surprises, mais sans garantie aucune.

Les «vins délimités de qualité supérieure» (VDQS sur l'étiquette) proviennent généralement de vignobles locaux, sans entrer – pour des raisons de qualité ou de simple géo-

graphie – dans la catégorie suivante.

Vient alors la classe enviée des «appellations d'origine». Les vins y sont répartis en: «grand cru», «cru classé», et cru non classé ou déclassé. On peut avoir toute confiance dans cette classification: elle est sérieuse et à jour. Que cela ne vous empêche pas de faire vos expériences...

Reste le problème du millésime; si vous n'êtes pas grand connaisseur, vous ne remarquerez guère de différence d'une année à l'autre. L'important est plutôt de boire le vin à l'âge qui lui convient.

Vins blancs secs ou moelleux
Parfaits pour accompagner poissons et fruits de mer, mais aussi les volailles, les œufs, les viandes blanches (surtout les plus corsés), ils seront bien sûr servis frais, rarement frappés.

Les plus fameux sont ceux d'Alsace (sylvaner, riesling, gewürztraminer, pinot) et de la Loire (saumur, côteau du Layon, vouvray, muscadet), ainsi que les blancs de Bourgogne (aligoté, chablis) et de Bordeaux (entre-deux-mers, graves). Il ne faut cependant pas négliger certains blancs particulièrement bien adaptés aux plats régionaux: sancerre,

pouilly-fumé, quincy, jurançon, vin du Jura (Arbois) ou de Savoie, vin gris de Toul, côtes-de-provence.

Vins rosés
Secs, ils sont d'un usage comparable aux vins blancs, plus particulièrement avec les volailles et les viandes blanches. Citons les bourgognes rosés, les vins du Jura et de Savoie, les côtes-du-rhône, et bien sûr les côtes-de-provence.

Les rosés doux (rosés d'Anjou) accompagnent à merveille les pâtisseries.

Vins rouges
Dans le domaine des vins rouges légers, le roi incontesté est le beaujolais. Inimitable et inévitable, il se boit frais. Il faut aussi compter avec les côtes-du-rhône, de qualité très inégale, les rouges de Provence, du Languedoc (corbières) et de Touraine (chinon et bourgueil).

Une rivalité traditionnelle oppose les grands rouges corsés de Bourgogne et de Bordeaux. La décision est une question de tempérament, de philosophie personnelle.

Parmi les bourgognes, les principales appellations sont: côte de nuits (morey-saint-denis, nuits-saint-georges, chambolle-musigny, vougeot, vosne-romanée...) côte de beaune (aloxe-corton, pommard, volnay, meursault...) et côte chalonnaise (mercurey et givry).

Du côté des bordeaux, puissants et capiteux, goûtez les saint-émilion, pomerol, médoc (pauillac, margaux, saint-julien et saint-estèphe), graves, sauternes...

Blancs doux ou liquoreux

Ce sont principalement des vins de Bordeaux et de la Dordogne voisine: sauternes, monbazillac. La Loire produit les vins doux du Layon, les mousseux de Saumur et de Touraine.

Le Languedoc et le Roussillon fournissent des vins liquoreux et forts en alcool, muscats de Frontignan, de Rivesaltes, banyuls, vins d'apéritif plus que de dessert.

Champagne

Le moine bénédictin Dom Pérignon inventa à la fin du XVIIe siècle, dans la région de Reims, le procédé de fabrication de ce très célèbre vin mousseux. S'il a longtemps été considéré comme le vin des cérémonies et des discours, on le sert volontiers, aujourd'hui, pour accompagner un repas.

Alcools et autres boissons

Parmi les nombreux apéritifs, les plus typiquement français sont les pastis (anisette) particulièrement appréciés dans le Midi, les vins cuits et sucrés, type pineau des Charentes, banyuls et muscats, et une spécialité bourguignonne, le blanc-cassis (liqueur de cassis et vin blanc), plus connu sous le nom de *kir*.

Les digestifs sont des alcools de fruits (calvados normand, marc de Bourgogne, mirabelle et kirsch d'Alsace), le grand-marnier à l'orange, le cointreau, et diverses liqueurs à base d'herbes (chartreuse, izarra du Pays Basque, bénédictine). Le cognac, eau-de-vie de raisin, est originaire des Charentes. Parmi les diverses qualités, la plus prestigieuse est la fine Champagne. L'armagnac est aussi une eau-de-vie, en provenance de Gascogne.

La France produit plusieurs qualités de bière en Alsace et en Artois. Le cidre, jus de pommes fermenté, est une spécialité normande et bretonne.

Les eaux minérales sont nombreuses et excellentes. Gazeuses ou naturelles, elles se vantent de toutes sortes de vertus thérapeutiques, dont la moindre n'est pas de faciliter la digestion...

BERLITZ-INFO

Comment y aller

PAR AIR (vols réguliers)

En France métropolitaine. Les métropoles régionales sont pour la plupart reliées à la capitale par Air France ou par Air Inter. Ainsi, Paris est à 1 h environ de Bordeaux ou de Lyon, à 1 h 15 min de Marseille, à 1 h 20 min de Nice (services quotidiens).

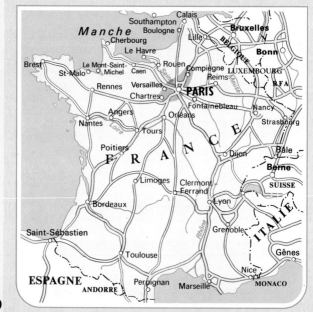

Antilles–Paris. Vous avez plusieurs liaisons par jour en saison. Le vol demande moins de 8 h de Pointe-à-Pitre à Paris, et environ 8 h de Fort-de-France à Paris.

La Réunion–Paris. Il existe un, voire deux services journaliers *via* Djibouti ou *via* Tananarive et Djibouti, en 13 h 15 min pour les liaisons les plus directes.

Au départ de l'Afrique du Nord. *Algérie–Paris:* plusieurs vols directs, chaque jour, depuis Alger, en 2 h environ. *Maroc–Paris:* plusieurs services quotidiens depuis Casablanca en 2 h 45 min. *Tunisie–Paris:* plusieurs services quotidiens directs en 2 h approximativement.

Au départ de la Belgique. Vous avez, chaque jour, plusieurs vols Bruxelles–Paris en quelque 50 min.

Au départ du Canada. Il y a un ou deux vols directs par jour depuis Montréal en 7 h environ (le retour s'effectue en 7 h 30 min).

Au départ de la Suisse romande. Genève est reliée plusieurs fois par jour aux rives de la Seine, en environ 1 h de vol.

PAR FER

En France même. Les principales lignes convergent vers Paris. Des Rapides de régime intérieur desservent la capitale au départ de Bordeaux, Nantes, Strasbourg, Toulouse, etc. Le TGV relie Paris à Lyon, Marseille, Montpellier, Saint-Etienne, etc.

Trains Autos Couchettes (TAC), Services Autos Express (SAE) ou Trains Autos Jour (TAJ) pour Paris au départ de: Avignon, Biarritz, Bordeaux, Fréjus, Grenoble, Lyon, Marseille, Nantes, Narbonne, Nice, Quimper, Saint-Brieuc, Tarbes, Toulouse, etc.

Au départ de la Belgique. Vous avez plusieurs trains par jour depuis Bruxelles. Citons en particulier les EuroCity *Brabant, Etoile-du-Nord, Ile-de-France, Gustave Eiffel, Rubens* (environ 2 h 20 de voyage). Liaisons également fréquentes et rapides au départ de Liège par le *Parsifal* et par l'IC *Molière.*

Au départ de la Suisse romande. Vous avez plusieurs trains par jour entre Genève et Paris *via* Culoz ou *via* Lausanne et Vallorbe. Le *Jean-Jacques Rousseau* met environ 6 h. Il y a un train de nuit (avec places couchette) qui prend un peu moins de 7 heures.

D'autre part, le TGV relie Paris à Genève cinq fois par jour *via* Bellegarde, en 3 h 30 min (vitesse de pointe: 260 km/h). Il dessert également Lausanne *(via* Vallorbe) en mettant 3 h 40 environ.

La S.N.C.F. offre diverses facilités tarifaires: billets touristiques, billets France-Vacances, billets pour familles ou pour groupes, cartes pour couples et pour personnes du troisième âge. D'autre part, les cartes *Eurailpass* (voyageurs non européens) et *Inter-Rail* (personnes de toute nationalité, de moins de 26 ans) sont valables. Renseignements dans les gares et les agences de voyages.

PAR ROUTE

Voici quelques distances approximatives, calculées selon les itinéraires les plus directs. (En France, autoroutes à péage.)

En France. Biarritz–Paris: 730 km; Bordeaux–Paris: 550 km; Brest–Paris: 600 km; Lille–Paris: 215 km; Lyon–Paris: 455 km; Marseille–Paris: 780 km; Nice–Paris: 940 km; Strasbourg–Paris: 500 km; Toulouse–Paris: 675 km.

Au départ de la Belgique. Il y a 300 km de Bruxelles à Paris par l'autoroute.

Au départ de la Suisse romande. Paris est à 485 km de Genève.

Services d'autocars. De nombreuses lignes desservent la capitale à partir de métropoles régionales comme Bordeaux, Lyon ou Nice. Signalons également les lignes Ostende/Bruxelles/Mons–Paris, Liège–Paris ou Tiznit–Marrakech–Paris.

Quand y aller

Paris jouit d'un climat semi-océanique. En d'autres termes, modéré, *normalement* sans chaleurs ni froids excessifs. L'agglomération enregistre des températures supérieures à celles de ses alentours. La région est relativement sèche, avec des pluies d'été et d'automne pour l'essentiel. L'hiver, maussade, se révèle ordinairement peu neigeux. L'été se montre généralement assez beau et pas trop chaud. Ce serait la saison idéale si elle ne coïncidait avec les «congés annuels», pendant lesquels vous trouverez de nombreuses portes closes! Si vous le pouvez, choisissez plutôt de séjourner à Paris en mai–juin ou en septembre.

	J	F	M	A	M	J	J	A	S	O	N	D
°C	3	4	7	10	14	16	19	18	15	11	6	4

Les chiffres ci-dessus traduisent des moyennes mensuelles.

Pour équilibrer votre budget...

Voici quelques exemples de prix pratiqués à Paris, évidemment exprimés en francs français (F). Du fait de l'inflation, ces données n'ont qu'une valeur indicative.

Aéroports (transports). *Autobus* pour Orly 28 F, pour Charles-de-Gaulle 35 F. *Train* (2ᵉ cl) pour Orly 18 F, pour Charles-de-Gaulle 23 F. *Taxi* pour Orly 150 F env., pour Charles-de-Gaulle 200 F env.

Cigarettes (le paquet). Marques françaises 4,50–7 F, étrangères 7–13 F.

Coiffeurs. *Messieurs:* coupe 90–180 F. *Dames:* coupe 90 F et plus, shampooing et mise en plis ou brushing 90–150 F, coloration/teinture 80–220 F.

Distractions. *Discothèque* (entrée et première consommation) 70–120 F, *night-club* (dîner avec spectacle) 250–485 F, *cinéma* 30–37 F (tarifs spéciaux pour étudiants et groupes, prix spécial du lundi 20–25 F).

Gardes d'enfants. 22–25 F l'heure.

Guides. 500–700 la demi-journée.

Hôtels (chambre double avec bains). ★★★★L 1000–1500 F, ★★★★ 600–1200 F, ★★★ 350–500 F, ★★ 250–350 F, ★ 200–250 F (★ sans bains 100–130 F).

Location de bicyclettes. 190–300 F par semaine, plus dépôt.

Location de voitures. *Renault 5 GTL:* 200 F par jour, 2,67 F le km, 2212 F par semaine (kilométrage illimité). *BMW 520:* 457 F par jour, 5,20 F le km, 7168 F par semaine (kilométrage illimité). Taxes incluses.

Repas et boissons. Petit déjeuner (à l'hôtel) 15–70 F, (au café) 15–30 F. Déjeuner ou dîner (bon établissement) 80–200 F, café 5,50–10 F, bière 8–20 F, bouteille de vin à partir de 45 F, cocktail 30–60 F, whisky 28–60 F, cognac 27–60 F.

Taxis. Prise en charge 9 F (supplément de 3,80 F aux gares et aérogares), 2,44 F le km. Tarifs majorés la nuit et hors des limites de Paris.

Transports en commun. Ticket de *métro* 4,70 F (2ᵉ cl), 6,80 F (1ʳᵉ cl); *carnet de 10 tickets* 28,20 F (2ᵉ cl), 43 F (1ʳᵉ cl). *Carte orange hebdomadaire* (bus, métro et R.E.R. – section urbaine), valable du lundi au dimanche, 43 F (2ᵉ cl); *carte orange mensuelle* (bus, métro et R.E.R. – section urbaine) 162 F (2ᵉ cl). *Carte touristique* «Paris Sésame» (bus, métro et R.E.R., uniquement sur le réseau de la R.A.T.P. – 1ʳᵉ cl – Paris et région parisienne) 55 F pour deux jours, 138 F pour sept jours.

Visites. *Bateaux:* 23–25 F. *Musées:* 12–25 F.

Informations pratiques classées de A à Z pour un voyage agréable

Certaines précisions pourront sembler évidentes aux Français, elles ne le sont pas forcément pour les étrangers – même francophones.

Une étoile (*) apposée au titre d'une rubrique renvoie à la page 103 pour une indication de prix.

A   **AÉROPORTS★.** Paris est desservi par deux aéroports principaux. **Roissy-Charles-de-Gaulle**, où atterrissent la plupart des vols intercontinentaux, est le plus récent. Situé à 25 km au nord-est de Paris, il est doté de deux terminaux (C.D.G. 2 étant essentiellement réservé aux vols d'Air France).

Plus ancien, l'aéroport d'**Orly**, à 15 km au sud-est de Paris, est également divisé en deux secteurs (Orly-Sud et Orly-Ouest, ce dernier étant réservé aux vols intérieurs).

Quant à l'aéroport du **Bourget**, au nord de Paris, il accueille surtout les vols charter.

Tous ces aéroports offrent une gamme complète de services: banques et bureaux de change, restaurants de qualité et snacks, agences de location de voitures, agences d'avions-taxis, bureaux de poste, et une multitude de magasins de toutes sortes, dont de vastes zones hors taxes.

Un service officiel de bus, régulier et confortable, relie les aéroports entre eux ainsi qu'à deux aérogares situées au centre de Paris. Depuis les terminaux parisiens, les départs sont prévus pour arriver 45 min avant l'heure d'enregistrement; ils ont lieu toutes les 12 min, de 5 h 45 à 23 h.

Des deux aérogares parisiennes, celle de la Porte Maillot, située sous le Palais des Congrès, dessert Roissy-Charles-de-Gaulle 1 et 2, avec un arrêt à l'Arc de Triomphe (tout en haut de l'avenue Carnot).

Les bus qui partent de l'aérogare située sur l'esplanade des Invalides desservent les aéroports d'Orly et du Bourget. Pour se rendre à Orly un arrêt est prévu devant la gare Montparnasse. Au retour d'Orly, les voyageurs sans bagages peuvent descendre à la Porte d'Orléans.

Pour Roissy comme pour Orly, prévoyez 40 min de transport; une heure et quart pour aller d'un aéroport à l'autre. Comptez large aux heures de pointe. Les deux aérogares de la Porte Maillot et des Invalides sont, d'autre part, reliées entre elles.

Vous pouvez aussi vous rendre à Roissy ou à Orly par le train. Les tarifs sont d'ailleurs plus avantageux que ceux du bus. Pour Roissy: départ de la gare du Nord toutes les 15 min, de 5 h à 23 h (durée du trajet 45–75 min). Pour Orly, le R.E.R. part de la gare d'Orsay, passe par Saint-Michel et la gare d'Austerlitz (durée du trajet 40–60 min).

Il existe aussi un service régulier d'hélicoptères reliant les aéroports parisiens à la capitale. L'héliport de Paris est situé au n° 4, avenue de la Porte-de-Sèvres, au sud-ouest (métro Balard).

Signalons, enfin, que le hall des arrivées de l'aéroport Charles-de-Gaulle est doté d'un centre de réservations hôtelières. Vous pourrez y repérer les hôtels de la capitale (du moins une ample sélection d'entre eux) sur un tableau lumineux, et, en pressant sur un deuxième bouton, entrer directement (et gratuitement) en relation téléphonique avec la réception de l'hôtel choisi. Le réceptionniste maintiendra votre réservation pendant deux heures dès ce moment-là.

AMBASSADES. Si vous avez un problème grave, comme la perte de votre passeport, de tout votre argent, des ennuis avec la police ou un accident sérieux, contactez votre ambassade qui vous conseillera et vous aidera si besoin est. Voici les adresses des ambassades des principaux pays francophones. (Ces ambassades disposent de services consulaires.)

Belgique: 10, rue de Tilsitt, 75017 Paris, tél. 43.80.61.00

Canada: 35, av. Montaigne, 75008 Paris, tél. 47.23.01.01

Luxembourg: 33, av. Rapp, 75007 Paris, tél. 45.55.13.37

Suisse: 142, rue de Grenelle, 75007 Paris, tél. 45.50.34.46

ARGENT

Monnaie (voir aussi DOUANE ET FORMALITÉS D'ENTRÉE). Le franc français (abrégé F ou FF) est divisé en 100 centimes.

Pièces: 5, 10, 20 et 50 centimes; 1, 2, 5 et 10 francs.
Billets: 20, 50, 100, 200 et 500 francs.

Beaucoup de Français comptent encore en anciens francs (1 ancien franc = 1 centime actuel) quand il est question de grosses sommes. En cas de doute, faites-vous préciser l'unité dont il s'agit! Dans les magasins, on utilise uniquement les nouveaux francs.

Banques et bureaux de change. L'horaire d'ouverture des banques est, à quelques variations près, de 9 h à 16 h 30, du lundi au vendredi. Quelques banques et bureaux de change sont ouverts plus tard et en fin de semaine (dans les gares et les aéroports en particulier). Vous pouvez en obtenir la liste à l'Office de Tourisme de Paris, qui possède lui-même un bureau de change.

Votre hôtel acceptera généralement de changer des devises et des chèques de voyage, mais à un taux nettement défavorable. N'oubliez pas de prendre votre passeport.

Les titulaires d'un compte dans une banque française pourront prélever jusqu'à 50 000 F par personne et par voyage dans n'importe quelle succursale de cette banque. Les grandes banques des pays du Marché commun ont des accords avec des banques françaises qui pourront vous assurer le même service (maximum 50 000 F par semaine); mais il faut que vous soyez en possession de la Carte Bleue.

Cartes de crédit. La plupart des hôtels et des restaurants élégants, certaines boutiques et agences de location de voitures, ainsi que différents commerces liés au tourisme, acceptent les cartes les plus courantes: Carte Bleue, Diner's Club, American Express, Eurocard, etc. Certaines cartes de crédit permettent aussi d'accéder aux distributeurs de billets.

Chèques de voyage *(travellers's cheques)*. Ils sont acceptés dans les hôtels, les agences de voyages et de nombreux magasins. Mais le taux de change y est invariablement moins favorable que dans les banques. Pensez à prendre vos papiers pour encaisser un chèque!

Paiement en devises. Certains magasins et les grands hôtels acceptent les devises (francs suisses, belges, dollars, etc.), mais à un taux, là encore, peu avantageux.

BLANCHISSERIE et NETTOYAGE À SEC. Si vous trouvez les tarifs de votre hôtel trop élevés, allez dans une blanchisserie automatique ou une teinturerie (nettoyage à sec); mais le travail y est souvent fait à la chaîne, sans ménagement pour le linge délicat. Si vous désirez un travail plus soigné, tarifs et délais seront bien sûr différents. Les prix varient également en fonction du type de vêtement et de la qualité du tissu.

C

CAMPING. La France est admirablement bien équipée pour les campeurs et les caravaniers. Rien qu'autour de Paris, il existe plus de 100 terrains de camping aménagés. Pout tous détails et tarifs, procurez-vous la documentation fournie par:

la Fédération Française de Camping et de Caravaning, 78, rue de Rivoli, 75004 Paris, tél. 42.72.84.08
le Camping Club de France, 218, boulevard Saint-Germain, 75007 Paris, tél. 42.22.44.04
ou le Touring Club de Paris, Bois de Boulogne, 75016 Paris, tél. 45.24.30.00

CIGARETTES★, CIGARES, TABAC. Ils font l'objet en France – les étrangers l'ignorent souvent – d'un monopole d'Etat. Aussi ne peut-on s'en procurer que dans un «débit de tabac» officiel. Les innombrables tabacs, cafés-tabacs et autres tabacs-journaux sont signalés par une enseigne rouge en forme de double cône. Certains restaurants vendent également des cigarettes et des cigares, mais le plus souvent à des prix plus élevés.

Parmi les marques françaises, il existe toutes les sortes de cigarettes, de la célèbre *Gauloise* aux mélanges blonds les plus légers, en passant par les mentholées et les cigarettes à papier maïs, avec ou sans filtre.

On trouve aussi de nombreuses marques étrangères, à des prix assez élevés, ainsi qu'un grand choix de cigares vendus à la pièce ou en boîte, des cigarillos, du tabac pour tous les goûts à l'intention des fumeurs de pipe et de ceux qui préfèrent rouler leurs cigarettes eux-mêmes.

COIFFEURS★ et INSTITUTS DE BEAUTÉ. Entre un petit coiffeur de quartier et le salon renommé d'un grand nom de la coiffure française, les prix seront bien sûr très différents, mais ils sont toujours affichés et s'entendent tout compris. Il est cependant d'usage de laisser un pourboire à la coiffeuse et à la shampooineuse. On vous proposera aussi les services d'une manucure dans la plupart des salons.

Pour les soins du visage, le maquillage ou l'épilation, les instituts de beauté ne manquent pas. Là encore, les tarifs varieront en fonction de l'établissement. Par ailleurs, un grand nombre de clubs et d'instituts proposent divers services, allant des massages aux exercices en salles de gymnastique, en passant par la piscine et la sauna.

CONDUIRE EN FRANCE. Pour entrer en France avec une voiture immatriculée à l'étranger, il vous faut:
- Un permis de conduire valable
- Un certificat d'immatriculation du véhicule
- Un indicateur de nationalité (autocollant)
- Un triangle de panne et des ampoules de rechange

La carte verte n'est plus obligatoire, mais une assurance tous risques est fortement recommandée.

Le port de la ceinture de sécurité est obligatoire même dans les agglomérations où, d'autre part, la circulation de nuit exige l'utilisation des feux de croisement. Les enfants de moins de 10 ans doivent voyager à l'arrière. Le port du casque est obligatoire pour les motocyclistes et les cyclomotoristes.

Règles de circulation. La vitesse est limitée à 45 ou 60 km/h dans Paris et en banlieue (dès que vous avez franchi le panneau indiquant le nom de l'agglomération) à 90 km/h sur route, à 110 km/h sur piste à double voie et à 130 km/h sur autoroute. En cas de pluie, ces limitations sont réduites de 10 km/h.

Conduire dans Paris n'est pas chose facile, surtout pour qui n'en a pas l'habitude. Restez dans votre file de circulation et gardez une bonne distance entre votre véhicule et celui qui vous précède. Et puis soyez particulièrement attentifs aux voitures venant de la droite: elles ont la priorité!

109

Alcool. Il est bien difficile de voyager en France sans faire quelques haltes gastronomiques. Mais soyez vigilants: un apéritif, quelques verres de vin, et vous aurez vite atteint les 0,8 g fatidiques... Les contrôles sont de plus en plus fréquents et sévères!

Conditions de circulation. Pour entrer ou sortir de Paris, prenez garde aux embouteillages sur le périphérique, les autoroutes et les grands axes. Ils sont terribles lors de week-ends prolongés et les jours de départ en vacances, principalement les 1er et 15 juillet, 1er et 15 août, et le 1er septembre.

La police parisienne – gardiens de la paix – est efficace et très serviable avec les touristes qui cherchent leur chemin.

Stationnement. C'est le gros point noir de Paris, que les autorités essaient de résoudre en construisant des parkings souterrains, signalés par de grands «P» sur fond bleu. Les parcmètres traditionnels sont bien sûr très répandus, mais il existe aussi des zones où l'on achète son ticket à un distributeur automatique, avant de le placer derrière le pare-brise. Le stationnement est limité dans les zones bleues, reconnaissables grâce à la bande bleue peinte sur les panneaux de signalisation. A l'intérieur de ces zones, vous devrez posséder un disque de stationnement (à disposition dans les stations-service). Certaines rues sont à stationnement bi-mensuel alterné. Vous serez sans doute étonné de voir comment les Parisiens résolvent parfois le problème du stationnement! Sachez cependant que les amendes peuvent être lourdes, et si votre véhicule gêne ostensiblement la circulation, vous risquez de le retrouver à la fourrière ou muni d'un sabot de Denver (sorte de cale fixée à la roue qui immobilise la voiture). Dans les deux cas, vous devrez vous rendre au commissariat et payer une forte somme.

Pannes et accidents. Les étrangers seront bien avisés de contracter une assurance accidents internationale. Le dépannage et les réparations peuvent être exécutés par un garage local, accoutumé à toutes les marques européennes et japonaises. Mais demandez toujours un devis *avant* de commander un travail (voir aussi Réclamations). Pour tout problème automobile, appelez:

S.O.S. Dépannage, tél. 47.07.99.99
l'Automobile Club Secours, tél. 05.05.05.24 (numéro gratuit)

Ces deux compagnies répondent à vos appels vingt-quatre heures sur vingt-quatre.

Essence et huile. On trouve partout de la super (indice d'octane: 98) et de la normale (octane: 90), ainsi que du carburant Diesel; mais les prix sont parmi les plus élevés du monde. L'essence sans plomb (octane: 95) est encore rare. Toutes les catégories d'huile sont en vente. Le pompiste attend de vous un pourboire pour tout service supplémentaire.

DÉCALAGE HORAIRE. En France, l'heure est de T.U. + 1, mais, de fin mars à fin septembre, l'horaire d'été entre en vigueur, et les Français avancent leurs montres d'une heure. Ainsi, en été, quand il est midi à Paris, à Bruxelles et à Genève, il est 11 h à Alger et à Tunis, 10 h à Casablanca et 6 h à Montréal.

DOUANE et FORMALITÉS D'ENTRÉE (voir aussi Conduire en France). Les ressortissants d'un pays de la CEE et les Suisses n'ont besoin, pour un séjour touristique, que d'une carte d'identité ou d'un passeport dont la date d'expiration n'excède pas cinq ans. Les Canadiens doivent présenter un passeport valide et un visa.

Aucune restriction sanitaire (sauf cas exceptionnel) pour les Européens ou les Nord-Américains. Pour les ressortissants d'autres pays, prendre contact avec le consulat de France local.

D

Les personnes qui désirent emmener leur animal favori devront se munir d'un certificat de vaccination antirabique ou de bonne santé. Renseignez-vous avant de partir. Le tableau ci-dessous vous indique ce que vous avez le droit d'importer en France:

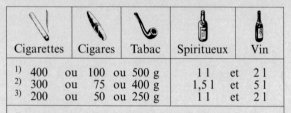

	Cigarettes		Cigares		Tabac	Spiritueux		Vin
[1]	400	ou	100	ou	500 g	1 l	et	2 l
[2]	300	ou	75	ou	400 g	1,5 l	et	5 l
[3]	200	ou	50	ou	250 g	1 l	et	2 l

[1] Ressortissants d'un pays non européen.
[2] Ressortissants d'un pays de la CEE transportant des produits non détaxés.
[3] Ressortissants d'un pays de la CEE tranportant des produits importés en franchise et personnes provenant d'un pays non inclus dans la CEE.

Prescriptions monétaires. Il n'y a pas de limite à l'importation ou à l'exportation de devises et de chèques de voyage. En revanche, on ne peut sortir de France que 50 000 F.

E

ENFANTS. Les activités ne manquent pas à Paris pour les enfants. L'ascension de la Tour Eiffel ou une promenade en bateau-mouche est toujours appréciée. Le zoo de Vincennes, ouvert tous les jours de 9 h à 17 h 30, est facilement accessible par le métro (station Porte Dorée). Le Jardin d'Acclimatation du Bois de Boulogne, ouvert tous les jours de 9 h 30 à 18 h 30, est à la fois zoo et parc d'attractions, avec promenades en poney, marionnettes et bien d'autres merveilles. On peut y accéder par un petit train depuis la station de métro Sablons.

Plus statique, le musée Grévin et ses figures de cire étonne toujours les enfants. Au Centre Georges Pompidou, un atelier de création est ouvert au public les mercredi et samedi après-midi. Les activités sont toujours liées à des expositions en cours (Atelier des Enfants, tél. 42.77.12.33). Il est fermé en juillet – août.

Diverses organisations et associations d'étudiants de toute confiance assurent un service de *baby-sitting*. Demandez à votre hôtel ou à l'Office de Tourisme les renseignements nécessaires. Réservez votre **garde d'enfants**★ au minimum un jour à l'avance.

GUIDES★. Les agences de voyages importantes fournissent voitures et guides touristiques. Les grands hôtels disposent d'une liste de chauffeurs-guides et l'Office de Tourisme de Paris d'une liste de guides officiels.

Des visites-conférences sont organisées par la Caisse Nationale des Monuments Historiques et des Sites (62, rue Saint-Antoine, 75004 Paris) et par les Musées nationaux, au Louvre. Pour de plus amples informations à ce sujet, composez le 42.74.22.22 qui répond de 9 h à 18 h, avec une interruption entre 12 h 30 et 14 h.

HABILLEMENT. La capitale de la mode est un spectacle permanent. Les femmes y sont à l'aise aussi bien dans un tailleur Chanel que dans un jean moulant. Le soir, il est rare que les Parisiennes s'habillent; quant aux hommes, si, l'été, ils supportent une cravate pour travailler, ils sont heureux de respirer un peu le soir. Certains restaurants chic, certaines boîtes de nuit, exigent pourtant la tenue de soirée. En général, vous serez mieux accueilli dans les hôtels et les restaurants en tenue classique.

Le temps est changeant et demande une garde-robe variée, sans extrêmes. En été, Paris peut être étouffant; prenez toutefois un imperméable. En hiver, il faut prévoir des vêtements chauds, un bon manteau et des bottes.

E

G

H

113

H   **HÔTELS★ et LOGEMENT** (voir aussi AÉROPORTS et CAMPING). Les possibilités de logement dans Paris sont aussi nombreuses que variées, elles satisferont tous les goûts et toutes les bourses. Mais en haute saison et pendant les foires-expositions, mieux vaut réserver une chambre.

Les **hôtels** sont classés en cinq catégories officielles. On peut en obtenir une liste détaillée, avec les prix, auprès de: l'Office de Tourisme de Paris, 127, avenue des Champs-Elysées, 75008 Paris

Les tarifs sont obligatoirement affichés à la réception et sur la porte de chaque chambre.

Certains quotidiens comme *Le Figaro* ou *France-Soir*, ainsi que la publication hebdomadaire *De Particulier à Particulier*, proposent des annonces de logements à louer.

Il s'agit généralement de locations de longue durée, mais il est possible de trouver un **appartement meublé** pour des périodes courtes. Les agences prennent d'importantes commissions, mais on trouve aussi à louer sans passer par leurs services.

Si vous êtes un adepte de l'**auberge de jeunesse**, vous découvrirez dans la brochure intitulée *Vos Etapes en France* toutes les informations relatives à l'hébergement des jeunes à Paris et dans la région parisienne. Vous pouvez obtenir cette brochure, ainsi que la liste des auberges de jeunesse, en écrivant à: l'Office de Tourisme de Paris, 127, avenue des Champs-Elysées, 75008 Paris

Deux autres adresses utiles:

le Centre d'Information et de Documentation de la Jeunesse, 101, quai Branly, 75015 Paris, tél. 45.66.40.20

la Fédération Unie des Auberges de Jeunesse, 6, rue Mesnil, 75116 Paris, tél. 45.05.13.14

JOURNAUX et REVUES. Les kiosques et les librairies
vendent la plupart des revues et des journaux français.
Les quotidiens régionaux et étrangers sont un peu plus
difficiles à dénicher; voyez les marchands des quartiers
touristiques (Champs-Elysées, Opéra, Palais-Royal,
Saint-Germain, etc.).

Pour être au courant de l'actualité des spectacles,
achetez *Pariscope* ou *l'Officiel des Spectacles*; voyez aussi
la rubrique *Spectacles* des grands quotidiens parisiens.

JOURS FÉRIÉS. Voici la liste des jours fériés officiels.
N'oubliez pas que la circulation est particulièrement
dense ces jours-là ou en période de vacances (juillet –
août), surtout si les jours de congé précèdent ou suivent
un week-end.

Pendant les jours fériés, les banques et les bureaux sont
fermés, ainsi que les grands magasins et la plupart des
boutiques. Vous trouverez pourtant toujours des
commerces d'alimentation ouverts, le matin en particulier.

1er janvier	Nouvel An
1er mai	Fête du Travail
8 mai	Fête de la Libération
14 juillet	Fête nationale
15 août	Assomption
1er novembre	Toussaint
11 novembre	Anniversaire de l'Armistice
25 décembre	Noël
Fêtes mobiles:	Lundi de Pâques Ascension Lundi de Pentecôte

L **LOCATION DE BICYCLETTES*.** Si vous envisagez d'affronter sur deux roues la circulation parisienne, renseignez-vous auprès du:

Bicy-Club de France, 8, place de la Porte Champerret, 75017 Paris, tél. 47.66.55.92

Location possible également dans certaines gares R.E.R. et S.N.C.F. Et si la nature vous attire davantage que les pavés de Paris, contactez:

l'Agence des Espaces Verts, 14, rue Yvart, 75015 Paris, tél. 48.56.28.60

LOCATION DE VOITURES*. Les nombreuses agences parisiennes proposent des voitures de marques françaises, mais aussi étrangères. Les agences locales offrent en principe des tarifs plus avantageux que les agences internationales; mais vous devrez généralement rendre la voiture là où vous l'avez louée et non dans une autre ville.

Vous devrez présenter un permis de conduire valable (établi depuis plus d'une année) et une pièce d'identité. Selon le modèle et l'agence, l'âge minimum requis peut être fixé à 21, voire à 25 ans. On vous demandera une caution substantielle, formalité dont vous serez normalement exempté si vous êtes détenteur d'une carte de crédit reconnue.

O **OBJETS TROUVÉS.** En cas de perte ou de vol, adressez-vous d'abord à la réception de votre hôtel. On vous aiguillera peut-être sur le commissariat de police du quartier. Dans un restaurant, un café ou une boutique, vous avez toutes les chances de retrouver votre bien. En revanche, dans un lieu public, tel que le métro ou un grand magasin par exemple, c'est beaucoup plus aléatoire.

Les objets trouvés sur la voie publique sont centralisés au:

Bureau des Objets Trouvés, 36, rue des Morillons, 75015 Paris

Aucun renseignement n'étant donné par téléphone, vous n'aurez d'autre recours que celui de vous y rendre (métro Convention ou bus n° 89). C'est à la même adresse que sont regroupés tous les objets trouvés dans le métro, le R.E.R. et les autobus.

Si vous avez perdu votre passeport, c'est au Bureau des Objets Trouvés de votre ambassade que vous devrez vous adresser.

OFFICES DE TOURISME. L'Office de Tourisme de Paris est extrêmement efficace. Vous y trouverez d'innombrables brochures et dépliants relatifs non seulement à la capitale, mais encore aux diverses provinces françaises. Voici son adresse:

127, avenue des Champs-Elysées, 75008 Paris, tél. 47.51.71.28

D'autre part, un répondeur automatique (47.20.94.94) donne la liste des manifestations culturelles.

Le C.R.T.L., Loisirs en Ile-de-France, est également à votre disposition (renseignements sur Paris et sa région). Son adresse:

19, rue Barbet-Jouy, 75007 Paris, tél. 45.51.71.28

Pour tous renseignements concernant les transports en commun, adressez-vous au Centre d'Information de la R.A.T.P. (voir TRAINS et TRANSPORTS EN COMMUN).

Les Services officiels français du tourisme sont représentés dans de nombreux pays. Son personnel, faut-il le souligner, est à votre disposition pour vous aider à préparer vos vacances. Il vous remettra une documentation très complète: dépliants et cartes en couleurs, prospectus variés. Voici à cet égard l'adresse de ces Services officiels dans quelques pays francophones:

O **Belgique:** 21, avenue de la Toison d'Or,
1060 Bruxelles, tél. (2) 512.97.90

Canada: 1981 av. Mac Gill College, Tour Esso,
suite 490, Montréal QUE H3 A2 W9,
tél. (514) 288.42.64

Suisse: 2, rue Thalberg, 1201 Genève,
tél. (022) 32.86.10

P **PLANS et CARTES.** De petits plans de Paris sont distribués gratuitement par les offices de tourisme, les banques et les hôtels. Des cartes plus détaillées sont en vente dans les kiosques et les librairies. Un guide des rues de Paris par arrondissements est indispensable pour chercher une adresse précise. Le plus complet dans ce genre est le *Plan de Paris* de A. Leconte, qui existe aussi en version *Banlieue*.

Falk-Verlag à Hambourg, l'auteur de la cartographie de ce guide, publie aussi un plan de Paris. Pour vos excursions, les cartes Michelin nos 101 et 96 (banlieue et environs de Paris) vous seront très utiles. Par ailleurs, L'Institut Géographique National (107, rue la Boétie, 75008 Paris), publie des plans, des cartes et des photos aériennes de grande qualité.

POSTES et TÉLÉCOMMUNICATIONS. En France, ces trois services des Postes, Télégrammes et Téléphone sont réunis sous la responsabilité des P&T (Postes et Télécommunications) dont les bureaux sont signalés par un oiseau bleu stylisé qui figure aussi sur les boîtes aux lettres jaunes.

Les bureaux de poste sont ouverts de 8 h à 19 h du lundi au vendredi, et de 8 h à midi le samedi.

Sachez également que la poste de la rue du Louvre (métro Louvre) est ouverte vingt-quatre heures sur vingt-quatre tous les jours de l'année.

Les bureaux de tabac vendent aussi des timbres.

Courrier. Si vous ne connaissez pas votre future adresse à Paris, vous pouvez faire expédier votre courrier poste restante au bureau de poste central, libellé de la façon suivante:

M. J. Dubois, Poste Restante, 52, rue du Louvre, F 75001 PARIS

L'American Express, 11, rue Scribe, 75009 Paris se charge aussi du courrier de ses clients.

Télégrammes. Ils peuvent être envoyés depuis n'importe quel bureau de poste ou par téléphone (télégramme téléphoné) au numéro 36.55. Certains bureaux ont un service de **télex**. Vous en trouverez entre autres aux adresses suivantes:

21, rue de la Banque, 75002 Paris
7, rue Feydeau, 75002 Paris

Téléphone. Pour tous les appels, locaux, nationaux et internationaux, vous pouvez utiliser une cabine publique. La plupart des cafés disposent d'une cabine; sinon, on vous autorisera à téléphoner depuis le bar.

Les appareils qui fonctionnent avec des pièces de monnaie existent encore dans certains bureaux de poste; ils ne seront bientôt plus qu'un souvenir à Paris. On les remplace de plus en plus par des publiphones, pour lesquels une Télécarte est nécessaire. Cette carte – dont le prix minimum est de 40 francs – est en vente dans les bureaux de poste, les guichets de gares ou les magasins affichant un autocollant représentant la Télécarte.

Pour les appels d'une région à l'autre, il n'existe pas de code particulier: il suffit de former les 8 chiffres constituant le numéro de votre correspondant. Toutefois, pour appeler la province de Paris ou de la région parisienne, il faut composer le 16 puis le numéro à 8 chiffres.

Le numéro 36.11 renseigne (gratuitement) sur les appels vers Paris et la région parisienne et le 36.12 sur les appels vers la province.

P   Pour appeler à l'étranger, composez le 19, attendez la tonalité et faites le numéro du pays suivi de l'indicatif de zone et du numéro de votre correspondant. On obtient les renseignements internationaux en composant le 19 puis, la tonalité venue, le 33 suivi du code du pays.

Le 47.20.94.94 vous tiendra au courant des manifestations culturelles et artistiques de la semaine. Le 43.69.00.00 vous donnera les prévisions météorologiques pour la région parisienne et le 43.69.01.01 pour les autres régions. Pour connaître l'état des routes et être au courant des problèmes éventuels de la circulation, composez le 48.58.33.33. Pour l'horloge parlante, faites le 36.99.

POURBOIRES. Le service (10–15%) est en général porté automatiquement sur la note, à l'hôtel, ou sur l'addition, au restaurant. Mais le garçon ne vous en voudra pas d'arrondir la somme, bien au contraire! Il est d'autre part d'usage de donner la pièce au chasseur, au concierge, au pompiste, pour tout service rendu. Quelques suggestions:

Chauffeur de taxi	10–15%
Coiffeur	15% (en général inclus)
Femme de chambre, par semaine	50–100 F
Guide	10%
Porteur, par bagage	4–5 F
Préposée aux lavabos	2 F
Serveur	5–10% (facultatif)

R   **RÉCLAMATIONS.** Dans un hôtel ou au restaurant, adressez d'abord votre réclamation au patron ou au gérant de l'établissement. Soyez ferme, et si vous n'obtenez pas satisfaction, prenez des mesures plus sérieuses en vous adressant au:

Syndicat Général de l'Industrie Hôtelière, 22, avenue de la Grande-Armée, 75016 Paris, tél. 43.80.08.29

Dans des circonstances plus graves, prenez contact avec: la Préfecture de Police de Paris, 7–9, boulevard du Palais, 75004 Paris, tél. 42.60.33.22

Si vous n'êtes pas satisfait d'un achat, sachez que vous avez un délai de 10 jours pour le rapporter au magasin; si vous présentez la quittance, le vendeur procédera sans doute à un échange.

SERVICES RELIGIEUX. En France, la religion catholique romaine est largement prédominante. A Paris, toutes les religions et toutes les sectes sont représentées. Voici les lieux de cultes des principales communautés religieuses:

Eglises catholiques: Notre-Dame, place du Parvis-Notre-Dame, 75004 Paris; Saint-Eustache, 2, rue du Jour, 75001 Paris; Saint-Sulpice, place Saint-Sulpice, 75006 Paris; Saint-Joseph et Notre-Dame du Luxembourg, 214, rue Lafayette, 75010 Paris

Eglises réformées de France: Temple du Luxembourg, 58, rue Madame, 75006 Paris; Temple de l'Oratoire, 145, rue Saint-Honoré, 75001 Paris; Temple de Pentémont, 106, rue de Grenelle, 75007 Paris

Synagogues: 28, rue Buffault, 75009 Paris; 9, rue Vauquelin, 75005 Paris; 10, rue Pavée, 75004 Paris. Principale synagogue de Paris: 44, rue de la Victoire, 75009 Paris

Mosquée: Grande Mosquée de Paris, place du Puits-de-l'Ermite, 75005 Paris

La deuxième chaîne de télévision diffuse, le dimanche matin, des émissions religieuses (israélites, protestantes et catholiques) suivies d'une messe.

S **SOINS MÉDICAUX** (voir aussi Urgences). Pour plus de sûreté, vérifiez si votre assurance couvre les risques de maladie et d'accidents à l'étranger. Dans la négative, demandez à votre assureur, à votre association automobile ou à votre agent de voyages les conditions de contrat temporaire.

Vous trouverez à Paris tous les services de santé nécessaires, médecins et hôpitaux; sachez que les médecins dits «conventionnés», appartenant à la Sécurité sociale, appliquent les tarifs les plus bas.

Les **pharmacies** sont reconnaissables à leur enseigne à croix verte. Le pharmacien pourra, si nécessaire, vous recommander une infirmière pour des soins à domicile.

T **TRAINS.** La S.N.C.F. (Société Nationale des Chemins de Fer Français) exploite le réseau national avec efficacité. Les principales gares parisiennes sont:

gare Saint-Lazare (région Nord-Ouest)
gare du Nord (région Nord)
gare de l'Est (régions Est et Nord-Est)
gare de Lyon (régions Sud et Sud-Ouest)
gare d'Austerlitz (région Sud-Ouest)
gare d'Orsay (Orly)
gare Montparnasse (région Ouest)

Vous obtiendrez des informations concernant toutes les gares au numéro 45.82.50.50. Pour les réservations, appelez le 45.65.60.60. Des liaisons par bus directs sont assurées entre les gares et avec les aérogares.

Les voitures sont confortables; il existe des compartiments de 1re et de 2e classes, fumeurs ou non-fumeurs. Sur les grands axes, des trains spéciaux nationaux ou internationaux (TGV, EC ou IC) assurent les liaisons les plus rapides et les plus confortables.

N'oubliez pas de composter votre billet *avant* de vous

rendre sur les quais (la machine à composter ou

composteur est située près de la porte donnant accès aux quais).

TRANSPORTS EN COMMUN

Autobus*. Le service d'autobus de la R.A.T.P. est efficace et très étendu mais pas toujours rapide, en raison de la circulation. Il est particulièrement pratique pour la banlieue. Les arrêts sont signalés par des panneaux rouge et jaune avec le numéro de la ligne et les stations desservies. La plupart des bus circulent de 7 h du matin à 20 h 30; certains roulent jusqu'à minuit et demi. Selon le trajet, vous paierez 1, 2 ou 3 tickets, que l'on peut acheter dans le bus. Aux stations de métro, vous pourrez vous en procurer par carnets de 10. Les billets sont valables aussi bien dans le métro que dans les bus. La «carte orange» et la «carte touristique» sont intéressantes (voir ci-après).

Pour les liaisons par autobus avec les aéroports, voir AÉROPORTS.

Métro*. Le métro parisien est l'un des plus efficaces et des plus propres du monde. C'est aussi l'un des meilleurs marché. Les lignes du R.E.R. (Réseau Express Régional) relient les banlieues au centre de la ville en un temps record.

Vous pouvez acheter des tickets de métro à l'unité ou par carnets de 10, en première ou en seconde classe. Les billets pour le R.E.R. sont légèrement plus chers et leurs prix varient naturellement en fonction du trajet à parcourir. Pour un séjour prolongé, et si vous vous déplacez beaucoup, vous avez intérêt à acheter la «carte orange hebdomadaire» (valable du lundi au dimanche sur l'ensemble du réseau urbain de la R.A.T.P. – bus, métro, R.E.R.). Mais il existe également une «carte touristique», appelée «Paris Sésame», valable 2, 4 ou 7 jours, idéale donc pour de brefs séjours.

On peut obtenir des petits plans du réseau aux guichets. Un grand plan de métro est affiché dans chaque station

T (voir plan p. 128). La première rame part à 5 h 30; le service s'achève vers 1 h du matin.

Pour tous renseignements sur les transports en commun (métro, trains, bus et cars), la R.A.T.P. possède un bureau d'information ainsi qu'un service de renseignements par téléphone qui fonctionne vingt-quatre heures sur vingt-quatre:

R.A.T.P., 53ter, quai des Grands-Augustins, 75271 Paris, Cedex 6, tél. 43.46.14.14

Taxis*. Vous pouvez héler un taxi ou le prendre à l'une des nombreuses stations réparties dans la ville. Vous pouvez également appeler un radio-taxi, mais sachez qu'il vous fera payer le trajet pour venir vous chercher. Vous ne vous acquitterez pas seulement du prix indiqué par le taximètre, mais payerez selon le tarif affiché sur la fenêtre du taxi (par exemple, un supplément pour les bagages).

U **URGENCES.** Où que vous soyez en France, vous obtiendrez de l'aide sans délai en appelant le 17, Police-Secours. Le numéro 18 est celui des Pompiers, qui se déplacent aussi pour les asphyxies et les noyades.

Il existe à Paris un Centre Anti-Poison efficace et rapide (tél. 42.05.63.29). Pour obtenir une ambulance, appelez les Ambulances de la Ville de Paris, au 43.78.26.26. Si vous avez besoin d'un médecin d'urgence, demandez à Police-Secours au 17, à S.O.S. Médecins, tél. 47.07.77.77, ou au S.A.M.U., tél. 45.67.50.50 (voir aussi AMBASSADES et SOINS MÉDICAUX).

V **VOLS.** Si vous avez des objets de valeur, déposez-les, contre reçu, dans le coffre de l'hôtel.

Comme dans toutes les grandes villes, la prudence est de mise; surveillez votre sac à main ou votre portefeuille parmi la foule des grands magasins et des musées. Le métro n'est pas si dangereux qu'on le dit; cependant, mieux vaut être sur ses gardes après 10 ou 11 h du soir.

Index

Un astérisque suivant le numéro d'une page renvoie à une carte ou à un plan. Consultez le sommaire des *Informations pratiques* à l'intérieur de la page de couverture; le chapitre lui-même commence à la page 104 de ce guide.

INDEX

INDEX

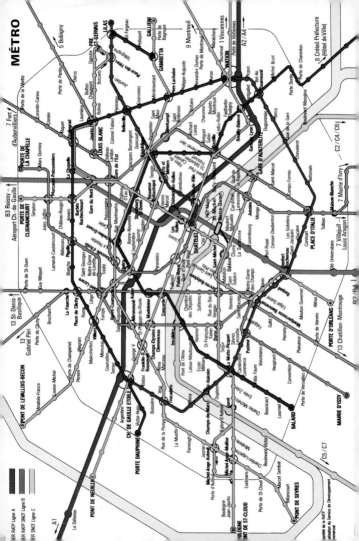